新 社会福祉とは何か 第4版

大久保 秀子 著

中央法規

はじめに　25歳を迎えた本書刊行によせて

『新・社会福祉とは何か』(2010（平成22）年）の第４版をお届けします。1997（平成９）年に『社会福祉とは何か』として刊行して以来，初学者向けのテキストとして幅広く使っていただき，25年目を迎えました。この本で社会福祉を学んだ学生が大学教員になっていることを知り，感慨深く思います。

本書は，恩師である日本女子大学名誉教授，故一番ヶ瀬康子先生監修のもと「原理は大切に，表現はできるだけわかりやすく」という難題とともに執筆の機会を与えていただいて誕生しました。先生はNHK教育テレビの市民大学講座で「社会福祉」を担当され，その講義内容をご高著として出されましたが，その際と同じ書名を使うようご指示下さいました。のれんを分けていただいたように感じ，背筋を伸ばして取り組んできました。

一番ヶ瀬康子先生は，日本の社会福祉学を確立し，福祉文化を提唱された第一人者です。個別具体の生活現実から社会福祉を構想する姿勢を貫かれ，「誰にもないその人らしさを，自由に発揮しながら生き抜くあり方，自立と“自己表現の自由”をうながすこと，それこそが介護の最終目標といえましょう」とご著書の中で書いておられます。「介護」を社会福祉，保育，相談支援などに置き換え，この一文を道標として執筆してきました。

20世紀から21世紀へと向かう時期は社会福祉の激変期です。改訂のたびに，資料の差替えだけではなく大幅な書き換えが必要になりました。その都度，原理に照らし合わせ，道標を見失わず，改変の趣旨と評価および留意すべき課題を提示し，読み手みずからが考える糸口をつかめるよう努めました。

社会福祉は，どの時代においても万全ではなく，現在も，そしてこれからも，決して万全とはならないでしょう。しかし，共感と信頼の力で他者の痛みを理解し，生活問題をまっすぐに深く観てとる洞察力と，目の前の小さな課題解決への行動する努力を積み重ねる過程で，より良い方策が生まれ，多様な人々が暮らしやすい社会に少しずつ変化してきた点は十分評価されるべきだと考えています。
今，私たちは，これからの社会福祉がどのようにあるべきかを模索し，新たな方向を見定めていく時代を迎えており，創造的批判力と果敢に行動する勇気が必要とされています。そのための最初の扉として本書を開いてください。
どこかに共感や気づきにつながる一文があるとすれば，その背後には，調査研究において「生きる」あるいは「生活する」の意味を私に示唆し，考えを深めさせて下さった多くの方々や，思いもよらない意見を発信する学生の存在があります。そうした総体としての何かが伝わり，変化が起き，より良き社会，福祉の理想に寄与できるなら，改訂を重ねてきた著者として，この上ない喜びです。

最初の出版社の事情で継続できなくなった際，学校や書店から刊行予定への問い合わせを受けて背中を押されました。新たな出版元として，中央法規出版の日高雄一郎氏が快く引き受けて下さり，2010（平成22）年，改めて世に送り出す幸運に恵まれ，以来，改訂のたびに中央法規出版にご尽力いただきました。
今回は，中央法規出版第１編集部の小宮章氏と牛山絵梨香氏をはじめ，たくさんの関係者のご協力を賜りました。執筆中に法改正が行われるなど目まぐるしい状況のもとでも，適切な資料をご提示下さり，最新の情報を見落とさないよう注意深く取り組めました。なかでも，牛山さんは緻密で正確な作業と，常に冷静かつ温かな心で支えて下さり，改めて心より感謝申し上げる次第です。
学生に限らず多くの方々にお読みいただくことによって，第４版に注がれたすべてが，豊かな実りをもたらしてくれるよう願ってやみません。

2022年１月

一番ヶ瀬康子先生没後10年の年に

大久保秀子

目　次

・本書は，2021（令和３）年12月時点において公布されている法令を基準として作成しています。
・本書における本文の「障害」という文字は，「障がい」と平仮名表記にしております。ただし，法律名や施策名などは，名称どおりに漢字表記としています。

第1章　社会福祉とは何か

Point

- 複雑化し，急速に変動する現代社会において，新たに生ずる生活の困難を解決していく社会福祉の意義を理解するため，現代社会の特質について学ぶとともに，国際的な視野で社会福祉の方向性について理解しましょう。
- 社会福祉は社会保障制度の一つに位置づけられています。社会保障制度についての基礎的知識ならびに，1990年代から進められてきた社会保障制度の改革の背景と方向性について学ぶことは社会福祉を理解するうえで大切です。
- この章では，学習を始めるにあたり，現代社会の姿に目を向けながら，社会福祉の概念，その根底を貫く原理，人間理解について理解を深めていきます。

1　現代社会の特質と社会福祉

社会福祉は個々人が直面する生活上の困難を把握し，解決策を講じて，誰もがより良く生きられるようにするための努力や方策で，現代社会を生きる私たちの生活を根底で支える役割を担っています。

人間は社会とのかかわりのなかで生活様式や生活感覚とそれを支える価値意識を形成して暮らしており，意識するか否かにかかわらず，社会と無関係に生活していくことはできません。

直面する生活のしづらさや困難は，個々人の要因と，現代社会に根ざす要因とが複雑にからみ合って現れてきます。

一人の困難の背後には同様の課題に直面する人々が大勢います。社会福祉の専門的な技術である相談支援や調査活動などは，一人の課題の解決を通じて多くの人々の生活のしづらさを解決し，暮らしやすい社会を創造することを目指しています。したがって，現代社会の特質を把握することは社会福祉を学ぶうえでたいへん大切です。

では，現代社会とはどのような特質をもった社会でしょうか。少子[1]高齢化の進行による人口構造の変化はいうまでもありません。高度情報化[2]はIT（情報技術）・ICT[3]（情報通信技術）やAI（人工知能）などの科学技術の進歩により，飛躍的に進展しています。グローバリゼーションの展開は，人やモノ，資金からサービスの地球規模での流動をうながし，国際社会のボーダレス化が進んでいます。

一方，グローバリゼーションの進展による企業活動の国際化や観光による人々の移動は，環境破壊や地球温暖化に関係しています。そして，各国間の利害の衝突や主義主張の違い，不平等や貧困といった格差の広がりにもつながっています。一国では解決が難しい課題をめぐって，新たな対立が生まれていることにも目を向けなくてはなりません。

国内に目を向けてみると，日本を長らく安定させてきた要因の一つでもあった，終身雇用は既に崩壊し，非正規雇用など不安定な就労形態が広がっています。1990年代の，いわゆるバブル崩壊以降，格差は確実に拡大してきました。大人社会の格差が子どもの格差につながり，子ども

1）**少子化**　日本では1970年以来，出生率（人口1000人あたりの年間出生数）ならびに合計特殊出生率（１人の女性が一生の間に産む平均子ども数）が低い傾向が続いており，この傾向を少子時代や少子化社会などと表現している。

2）**高度情報化（社会）**　情報が価値とみなされて，情報がマスメディアや情報産業によって機能する社会を「情報化社会」という。さらに情報関連の技術（IT技術）の革新が加わり，コンピュータやインターネット，携帯端末の一般化が進んだ段階を「高度情報化社会」と呼んでいる。さらに情報・知識の自由な創造，流通，共有化は生活を変え，新たな社会経済システムが成立する「高度通信情報社会」への変革に向かっている。

3）**ICT**　Information and Communication Technologyの略。情報通信技術を使って人とインターネット，人と人とがつながる技術。IT（Information Technology：情報技術）を活用したコミュニケーション技術。

の貧困は目に見えて広がり，もはや看過できない状況です。

幅広い世代にわたり単身者が増加し，最小単位としての家族の生活力やケアし合う力量は縮小しています。高齢者の孤立死の事例も少なくありません。

現代は，国内外を問わず，不平等と格差，不安定と不信が広がる社会であり，人間の生命や生きる価値の認識が混迷し，人間の心に信頼を育むことが難しい時代を迎えているともいえるでしょう。

しかし，こうした悲観的な見方に支配されて諦めるのではなく，目の前の課題に対し見通しを立てて克服するため，能動的に働きかけ，改善に向けた努力や方策を講じる社会福祉の役割は，現代社会において重要性を増しています。

それだけでなく，社会福祉の関係者に限らず，さまざまな分野の人々のなかに，福祉の実現に関心を寄せ，それぞれの知識や技術を福祉の向上に発揮しようとする新たな動きが現れていることも，現代社会の特質です。

たとえば，少子化は子どもを取り巻く環境としてマイナスであると考えられがちですが，その反面，少子化時代の子育てやその支援に多くの人々が関心を寄せるようになりました。子育てを支え合う拠点をつくったり，子どもや家族のSOSを受け止めて対応したり，子ども食堂を開始して地域社会をより良いものにしていこうと活動するNPO[4)]団体や，そこに積極的に参加するボランティアや当事者，地域のさまざまな事業者が増加するなど，さまざまな努力がめぐらされています。

また，IT・ICT・IoT[5)]（モノのインターネット）は，社会のあり方を一変させています。インターネットを通じて，移動が制約されがちな障がい者も世界中に友人をつくることが可能となり，IoTは介護現場での

4）NPO（Non-Profit Organization）　非営利民間組織。
5）IoT　Internet of Things（モノのインターネット）で，モノが情報を伝える経路となり，遠隔でモノを操作したりデータを収集したりする技術。

センサーや自動運転，スマート家電を通じて急速に普及しています。難病で寝たきりの障がい者が，ロボットを遠隔操作してスポーツを体感したり，カフェで注文を聞いてコーヒーを運び，注文した人たちと会話したりする，ということも実現しています。AIを搭載した介護ロボットの開発も進み，介護者の負担の軽減や高齢者のアクティビティやコミュニケーションの充実に役立っています。

地球規模の問題である環境保護や温暖化防止は，一見，福祉とは無縁にみえますが，決してそうではありません。温室効果ガスの抑制につながる緑化や農林業の推進に障がい者や高齢者が従事することによって，雇用や参加機会が拡大し，地球環境保護に資するNPO団体などの活動も活発となり，新たな可能性が拓かれています。

このように，現代では，社会福祉が多様な領域の専門性と連携し合うことで，より有効な方策が生まれるようになっています。

さらに，自由に情報に接することが可能になることによって，多様性を認め合い人権保護を尊重する認識が急速に広がってきたことも現代社会の特質です。たとえばジェンダー，障がい，人種，国籍，LGBTQなどによって，これまで権利を主張しづらい立場にあった人々がみずからの主張を発信し始め，それに賛同する人々が増えています。日本でも，これまでマイノリティと呼ばれてきた人々を積極的に支援する活動が広がっています。

より良き社会の実現という理想に向けてすべての人，活動が集約されていくべきであるという国際的潮流も見逃すことはできません。

SDGs[6)]は，成長し続けることを重視する経済から脱却し，経済・社会・環境の３つの要素を犠牲にするのではなくバランスをとって人も豊

6）SDGs　Sustainable Development Goals（持続可能な開発目標）。2015年，国連サミットで採択された。2030年までに達成すべき17の目標と169のターゲットから構成され，「誰一人取り残さない」を共通理念としている。経済と社会と環境の３つの要素について経済開発と社会的包摂，環境保護を調和させた実現を目指すこととした。

かさもともに持続可能な状態を目指しています。この発想に立つと，グローバリゼーションが貧困の原因であることを超えて，貧困撲滅のエンジンとなるという理念に基づいた経済活動への転換がうながされます。

国連人権理事会は，企業活動における人権の尊重への対応が求められていることに対し，「ビジネスと人権に関する指導原則[7)]」(2011（平成23）年）を示し，各国に国別行動計画の策定をうながしました。これを受けて日本は2020（令和２）年，「『ビジネスと人権』に関する行動計画（2020－2025)」を策定しています。

こうした取組みにみられるように，現代では，国際的な協調・共生社会の実現を目指し，日本も国際社会の一員であることを意識して，より良い社会づくりに向かうさまざまな方策や努力を重ねる必要があります。

日本が目指す「地域共生社会」の取組みにおいて，「支え手側と受け手側に分かれるのではなく」と示されていることは注目すべき点です。支援する側とされる側の分断を解消することが，共生社会づくりの要件であり，社会福祉の方向性に対する根本的な課題です。

新しい時代への移行期にあっては新たなひずみも生まれます。個人の努力では克服しがたい生活問題が広がり，不確実さや不安を感じ，よりどころを見失う人も増えるかもしれません。このような時代を迎えて，社会福祉はそのあり方，進むべき方向や整えるべき内容が根本から問われており，常に現代社会の動向を看取し，より良い社会づくりに向けて果敢に努力を重ねて新しい時代の生活を支える社会福祉へと転換していくことが大事です。

7）**ビジネスと人権に関する指導原則**　ビジネスにおいて人権尊重は不可欠であり，企業は自社内に限らず，取引先や素材調達先を含むすべてについて人権を尊重する責任を有することが示されている。31の原則で，人権の保護・尊重及び救済の３つの柱で構成され，そのなかで人権侵害に対する具体的な取組みについても示され，諸外国では法制化も進んでいる。

2 社会福祉の概念

(1) 社会的努力の意義

「社会福祉」は，「Social Welfare」の訳語として日本では第二次世界大戦後に用いられるようになりました。個人や家族に生じる生活のしづらさを，社会的な努力や方策によって解決，あるいは軽減する諸活動を総合的に意味しています。

「Welfare」すなわち「福祉」は，「快い暮らし」や「より良い生活」といった意味です。誰でも日々の暮らしが自分らしく，より良いものであることを望みますが，さまざまな事情で困難が生じ，必ずしも今ある生活が「Welfare」な状態でなくなる場合が出現します。たとえば病気や障がい，加齢などは，人間に生活のしづらさをもたらします。そのようなとき，人間はどのようにして解決しようとするでしょうか。

まず自分で努力し，それから家族や親族，親しい友人に助けを求めるなど，個人的努力（自助努力）を重ねるでしょう。しかし，個人的努力には個人差もあり，おのずと限界があります。

そこで必要になるのが，社会的努力としての社会福祉です。経済的な困窮，子育てや老後の暮らしの困難，高齢者の介護，病気や障がいなど，生活しづらい事態に直面したとき，それを乗り越えるためには何らかの支援が必要です。個人や家族だけで解決することができないとしても，社会的な努力や方策としての社会福祉制度やサービス，さまざまな福祉活動を活用できれば，個人や家族の生活が守られるだけではなく，家族以外にも新しい絆（きずな）が広がり，生活しやすい社会づくりにつながる可能性が広がります。

「社会福祉」という言葉には二つの側面があります。目指すべき目標や理想である「より良い暮らし」や「自分らしい生き方」という側面と，その実現のためにめぐらされる社会的な努力や方策，諸活動という側面です。「福祉」とだけ用いる場合は，目標や理想を意味し，福祉の実現のためには社会福祉以外の方策も立てられます。たとえば教育や住宅，まちづくりなども福祉を目指して積み重ねられる努力や方策です。社会福祉は，いわば福祉を実現するための一つの方法であるということができます。

社会福祉の範囲は狭くとらえれば，今ある社会福祉の法制度，各種の福祉法に裏づけられた福祉サービスだけですが，広くとらえれば，ボランティアやNPO団体だけでなく民間のさまざまな福祉を目的とする活動も含まれてきます。いずれも「福祉」を実現していく「実体」です。

また，目指すべき理想と今ある現実の間には隔たりがあります。個々の生活におけるその隔たりを解消，軽減するための社会的努力の総体，ないし「Welfare」な状態に向かって営まれる社会的な充足努力の総体を社会福祉であると考えることができます。

社会福祉には，専門職を介して制度やサービスを「支援」という役立つ形にする実践過程があります。簡単にいえば，制度もサービスも実践過程を経て初めて支援を必要とする人々に届けられ，役立つものとなります。ですから，支援を行う専門職が必要とされ，一人ひとりの専門職が担う実践の質は，より高いものであることが求められるのです。こうした社会福祉の実践には，個人だけでなく地域を対象とする専門的な方法があり，ソーシャルワーク[8)]と呼ばれます。

8）ソーシャルワーク　第4章を参照

Column　社会福祉とは何か

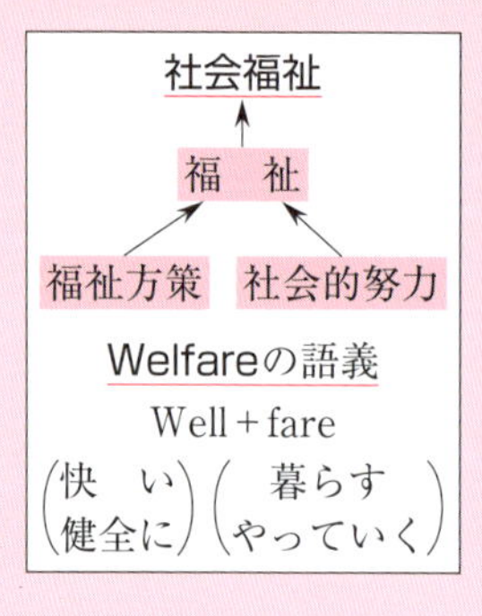

社会福祉とは，『福祉をめぐるところの社会方策あるいは社会的努力である』というふうに考えます。（中略）

福祉というのは，暮らしのあり方であり，それをめぐる社会方策，また積極的な社会的努力を『社会福祉』というふうに呼んでいいと思います。

出典：一番ヶ瀬康子編著『新・社会福祉とは何か』ミネルヴァ書房，1990年（p.8）

⑵　制度としての社会福祉の形成

社会福祉には，各種の福祉関係法に基づいて，既に法制化され確立している社会福祉事業と，制度としては未確立ながらも，福祉を目的とする諸活動とがあります。自発的にこれらを担ってきた，または現に担っている，たとえば種々のボランティア活動やNPO団体，当事者団体の活動や運動などは，その例といえるでしょう。

社会福祉は，公的制度の不備を補う，そのような補充・補完的な努力の結果として，援助の必要性が社会にも行政にも認められるようになって，少しずつ制度化されるという過程を経て形成されてきました。

理想としての福祉を目指して行われる多様な努力が，しだいに組織化され，制度化されて，実体としての社会福祉を高めることにつながってきたのです。もちろん，制度化に際しては国や地方の財政の裏づけが必要となります。さまざまな課題，援助を必要とする分野があるなかで，誰もが納得できる優先順位はどのようなものか，またどのような規模であれば実現できるのか，それはたいへん難しい判断になります。それらを国民にとって，より良いあり方で判断し実行していくことが，福祉国家の機能として求められています。

一方，法令に定められていない分野を先駆的な意味で補っているさま

■図１－１　社会福祉援助とは

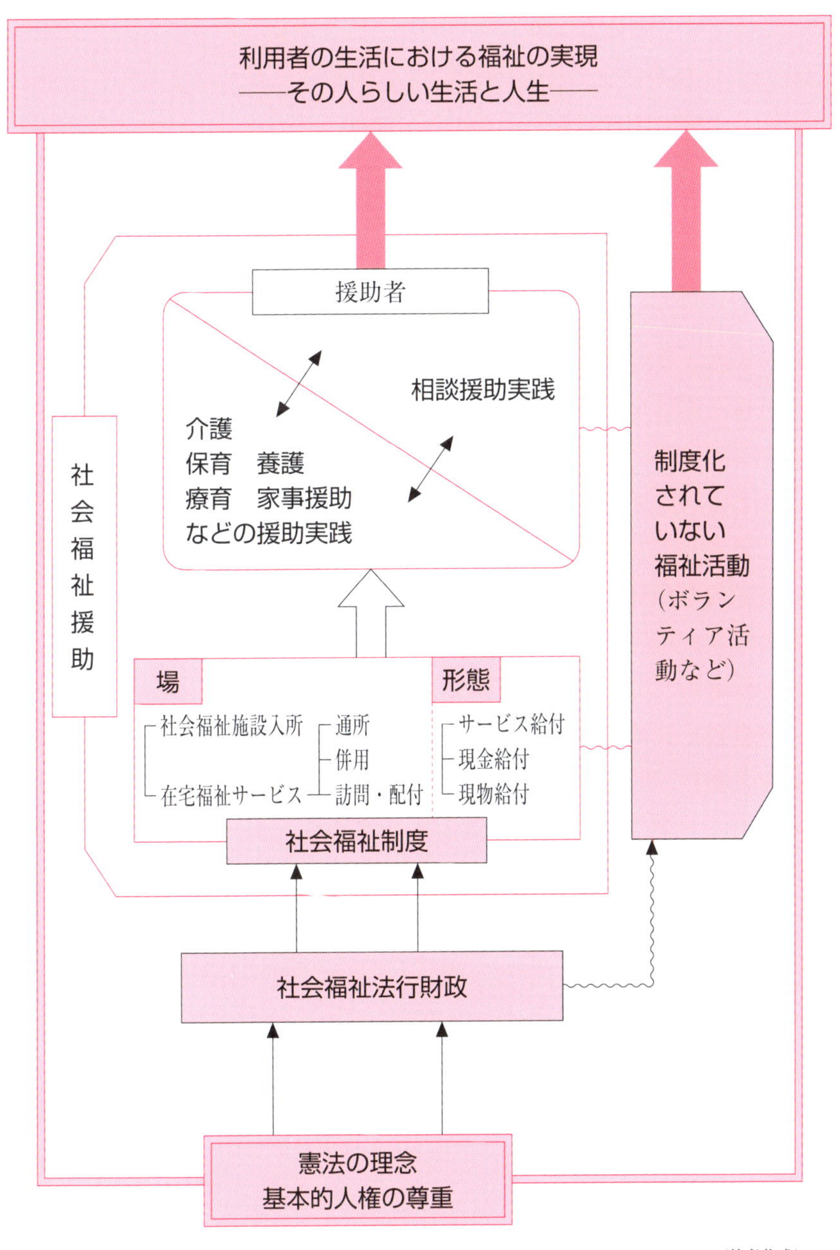

（筆者作成）

ざまな活動が，社会福祉の向上にとって重要な役割を果たしています。社会はとどまることなく変化していることを考え合わせると，社会福祉が目指す理想が完全に充足されることはないかもしれません。なぜなら，必ずといってよいほど，法制度にはすき間があり，後回しになっている大事な課題，時代が生む新しい課題が常にあり，簡単には理想を実現できないからです。

それでもなお，福祉の実現への努力は，これまでも長い時間をかけて積み重ねられた営みであり，社会の変動や価値観の変容の影響を受けながら，とどまることなく継続されています。いち早く新たな課題を発見し，有用な対応を生み出すこと，そこに私たちが参加していくことが，制度としての社会福祉の構築をうながす努力であるといえます。

これまでの歴史をみれば，何の対応策もないところに誰かが必要性を感じて活動し始めたことから社会福祉が発展してきたことがわかります。社会的な背景のもとで起きる生活上の諸問題がまず発見され，その問題の軽減や解決のために立ち上がり，努力する人々によって社会福祉の歴史は創られてきたといえましょう。

(3)　社会福祉改革の動向

世界に先駆けて福祉国家の見本とされたイギリスをはじめ，1980年代になると，世界各国で福祉国家のあり方が見直されるようになりました。それにともなって社会福祉の意味や方向性も変化しています。具体的には国民の生活保障をすべて国家に依拠する限界への言及，ボランタリーセクションへの評価などを通じ，「大きな政府」が国民の生活保障をすべて担うという考え方から「小さな政府」への変革が進められたことがあげられます。

社会福祉の制度やサービスの提供を通じて，国民の生活保障を行うことに対して国家が責任をもち，広く国民が安心して暮らせるよう法制度を整備するという福祉国家の理想は魅力的です。多くの国がこれを目指しましたが，やがて膨大な財政支出に苦しみ，民間活力の導入や官民協力，幅広い国民の参加をうながす方策へと転換していきました。それは，福祉の切り捨てとして批判も浴びました。

財政赤字を理由とする福祉の後退は，望ましいことではありません。とはいえ，福祉の見直しや改革が必要とされた背景は，必ずしも財政赤字だけではありませんでした。個別性の強い福祉サービスの供給を，国が一律に行おうとすれば，きめ細かな対応は難しくなります。

日本においては，全国一律に施設サービスを拡充しようとする方向性を改め，地域主権のもとで地域に根づいた生活を保障するサービスへと切り替えることが求められ，2000（平成12）年の社会福祉法及び介護保険法施行以後，21世紀の日本では地域福祉を原理とする社会福祉への転換を目指しました。それは，たやすい転換ではなく，どのようにすれば地域を基盤とする社会福祉へと転換できるのか，模索が続けられています。

加えて，福祉サービスを消費の対象として考え，みずからの収入の範囲で福祉サービスを購入するというあり方が急速に進められています。しかし，サービスの多様性の確保や選択の自由という魅力がある一方で，購買力の弱い人々の福祉の確保の困難さや，財政支出抑制の目的も見え隠れし，必ずしも望ましいものとはいえず，どこでバランスを整えるかという大きな課題があります。

そこで，福祉サービス供給源の多様化という施策に行き着くことになります。NPO団体や企業など，社会福祉法人以外のさまざまなサービス提供者の参入を認め，高額なものから無償・低額報酬での労働を組み入れたものまで，サービスに多様性をもたせて選択の幅を増大させることにより，幅広い国民の要望に応えようという考え方です。

福祉サービス供給主体の多様化を反映して，当事者みずからの努力を「自助」[9]，公的な制度やサービスを「公助」とし，近隣相互の助け合いによる「互助」，NPO団体やボランティアなどの活動による「共助」，そして民間企業による「民助」というような分け方も使われるようになりました。国や地方公共団体による制度やサービスだけに限定されない多様なサービス供給のあり方は「福祉ミックス」とも呼ばれます。どのようにバランスをとりながら多様な社会資源を地域に配置していけるか，地域福祉を主軸とした福祉改革について，国や行政の役割は何かを見極めるなかで，求められる社会福祉のあり方の課題が明らかになってきています。

Column　社会福祉の可能性

「現代の社会福祉」においては，「法律による社会福祉」に欠陥があれば，「自発的社会福祉」すなわち「相互扶助」や「慈善事業」や「博愛事業」の活動によって，その欠陥の修正が行われたり，「法律による社会福祉」の限界を補完することも可能にならねばならない。

出典：岡村重夫『社会福祉原論』全国社会福祉協議会，1983年（p.67）

3　社会福祉を支える原理

社会福祉を支える基本原理は，誰もが尊厳あるその人らしい生活および人生をおくれるようにすることです。その人らしさは「自分らしさ」と置き換えることもできます。地域社会において，誰もがみずからの存在意義を感じながら自分らしい生活を送り，その充実した時間に対する誇りをもって生きる人生を保障できるようにしていくことが社会福祉の目的だともいえるでしょう。

暮らしの場が施設であっても，施設そのものが地域に根づいた福祉実践を行えば，そこに暮らす人々の生活は地域とのつながりのなかにしっかりと位置づけられます。

9）**自助・公助・互助・共助**　生活上に必要なサービスを自分で購入することも含めて，自分の生活は自分で対処するのが「自助」，社会保険のように生活上のリスクを共有して負担し合うのが「共助」，税を財源とする制度により提供されるのが「公助」とされている。さらに地域包括ケアシステムでは，住民組織による助け合いやボランティア活動などを「互助」として，これらの円滑な連携が重視されている（第９章参照）。

社会的に不利な立場におかれやすい人々は，自分だけの力で自分らしさを実現するのに困難をともない，そこに何らかの支援の必要性が生じます。しかも，みずから発信する難しさにも直面する場合が多いので，常に目と心を行き届かせ，誰もが地域社会の一員として生活していけるようにはたらきかけ，共生社会を構築するというのが，目指すべき方向です。このような考え方のもと，社会福祉および社会福祉を目指す福祉活動は「基本的人権の尊重」「ノーマライゼーション」「自立支援」「参加と共生」「ソーシャル・インクルージョン」の五つの柱に支えられていると考えられます。

第一に「基本的人権の尊重」です。日本国憲法第25条には社会福祉が次のように表現されています。

日本国憲法第25条

① すべて国民は，健康で文化的な最低限度の生活を営む権利を有する。
② 国は，すべての生活部面について，社会福祉，社会保障及び公衆衛生の向上及び増進に努めなければならない。

国民の基本的人権として「生存権」を保障すると同時に，国の保障義務を示しており，その解釈には諸説があるものの，社会福祉が同情や恩恵ではなく，すべての国民に普遍の権利であることを宣言しており，社会福祉の基盤とされています。

第二に「ノーマライゼーション」です。人間は地域社会で暮らして初めて基本的要求の充足ができるのですが，社会福祉の歴史のなかでは，貧困者や障がい者が地域社会から隔離され保護される処遇が中心でした。これに対し，知的障がい者に「できるだけノーマルに近い生活を提供しよう」というノーマライゼーションの原理が，1960年代に北欧で主張されるようになりました。

日本では1970年代後半から盛んに取りあげられるようになり，今では社会福祉を支える理念となっています。この考え方に基づいて，地域での生活を支えるためには，社会福祉施策だけでなく，医療・保健，教育，住宅，まちづくりなど，人間の生活を支えるすべての施策が生活の場に統合されて進められる必要があります。

第三に「自立支援」です。社会福祉の援助の目的の一つは，個々の人々が可能な限りの自立を獲得することにあります。誰でも自分の人生の手綱を自分で握り，日々の生活や人生について，みずからの納得や合意に基づいて決定することを希望するでしょう。しかし，障がいや高齢ゆえにみずから意思決定を行う機会が奪われる現実がしばしばみられます。それは，本人にとって不本意であり，悲しいことです。

ところで，社会福祉においては自分でできることだけを自立と考えるのではなく，社会的支援を活用することによる自立が重要であることを十分に理解しなくてはなりません。

たとえば車いすで生活をしている人は，身体的に支援が必要な状態にありますが，働いて収入を得て，障害年金と組み合わせて生計を立て，自分の望む人生を大切に生きているとすれば，精神的にも社会的にも経済的にも自立しているととらえることができます。心身の介護が必要であるからといって，人間として自立していないかのように受け止めることは誤りです。

一方，自立の原則を打ち立てることは，支援を必要とする人々に対して自己決定と意思表明を求めることを意味します。人間らしい生き方を求めて選択する自由は，自分の望むことを明確に表現する意思をもつことや，その決定から生じる責任を引き受けることと表裏一体です。

しかし，その考え方が行き過ぎて自立の支援が本人の自助努力の強化に置き換えられる傾向がみられます。それは支援を求めることへのためらいや引け目につながるかもしれません。自助努力のみを強調する考え方は決して正しいとはいえません。

第四に「参加と共生」の重視です。地域社会での生活とは，多様な人々が手をたずさえ，ともに生きる社会の実現に向けて，みずからも参加することを意味しています。異質な者同士が，その違いを認め合って共生すること抜きに，地域での生活は実現しません。異質な者を排除する社会は，決してたくましい社会でもなければ，文化的な意味での先進国でもないのです。地域社会に連帯できる基盤を多様な人々の参加や参画を通じて培うことが大切です。共生の前提は自立であり，自立する主体が自発的に行動を起こすところに真の連帯が生まれます。自立と参加と共生は相互に支え合う概念であるといえるでしょう。

第五に1990年代にヨーロッパで広がった「ソーシャル・インクルージョン」（社会的包摂）があります。これは，社会の一員としてすべての人々を包み込んでいこうという理念で，社会的排除[10]に対抗するための戦略を意味しています。雇用，居住，教育，社会参加，表現の自由や機会の平等など，さまざまな次元での排除は重複や連鎖を繰り返して問題を複雑化させていきます。その状態から，社会との関係を結び直して社会の一員として包摂していくには，個別的な対応が必要とされます。排除のリスクを回避，軽減する方策と社会的努力が大切です。

地域社会に根づいて生活することは，本来ノーマライゼーションにおける「ノーマル」の意味に含まれています。地域で孤立して，何年も他人とのかかわりをもたないままの人々を放置しない，または生み出さない社会づくりを目指すという意味で，ソーシャル・インクルージョンはノーマライゼーションの思想が目指す社会観を一歩進めて，より具体的に理想を示しているということができます。

福祉サービスの供給主体が多様化して企業も参入していることから，非営利という福祉サービスのかつての原則が通用しない領域も拡大して

10）**社会的排除**　フランスで最初に提唱された1992年のEC（欧州委員会）によれば，社会的な統合とアイデンティティの構成要素となる実践と権利あるいは社会的交流への参加から個人や集団が排除されるメカニズムで，居住や教育，保健，そして社会サービスへのアクセスからも排除され，社会の周縁に追いやられること。

います。営利，非営利にかかわらず，福祉にかかわるさまざまなサービスにおいては，これらの原理が共通していることが望まれます。

4 社会福祉と社会保障

(1) 社会保障における社会福祉の位置づけ

ここで，日本の社会福祉が社会保障制度においてどのように位置づけられるかを見ておきましょう。

社会保障制度は，すべての国民の暮らしを生涯にわたって根底で支える重要な社会基盤です。社会保障制度には公的年金，医療，介護保険，子育て支援，生活保護，社会福祉，公衆衛生などがあり，国民が安心して生活していくためには，どれも不可欠です。このような，さまざまな方策の一つとして，社会福祉は社会保障制度に位置づけられています。

これらの分野が独立的なものだと考えると，わかりやすい面もあり，そうした説明も多く行われます。しかし，たとえば，病気で医療を必要とする人の背景に経済的な困窮がある，介護を必要とする人の家族が介護疲れに陥っている，生活保護を受給している人が自立の手がかりがつかめずに生きる希望を失いかけている，障がいのある子どもの子育てと就労の両立がむずかしい，などの例を考えてみましょう。いずれの場合も社会福祉の原理に根ざした何らかの活動や支援が必要とされています。

言い換えれば，社会福祉は社会保障の分野横断的な性格を有します。そればかりか，社会福祉の原理は，教育や住宅，街づくり，文化・芸術に至るまで，およそ人間が暮らすところには常にその底流である必要があるといえるでしょう。

社会福祉を学ぶときには，社会福祉の領域を独立的に切り分けて理解する学び方と，人間の生活の視点に立ち，福祉を実現するために必要とされる制度や政策は何か，巨視的・分野横断的に広くとらえる学び方の両方を往復しながら学ぶ姿勢がとても大切です。

(2)　社会保障制度の変遷と改革への取組み

社会福祉は「社会保障制度」(Social Security) の一つに位置づけられて出発したのち，社会の変化に応じ変遷をたどり，21世紀に入り，社会福祉と社会保障制度は抜本的な改革が進められています。その変遷を概観すると図１－２のようになります。

昭和20年代の，いわゆる戦後の混乱期は緊急的な生活援護が中心でした。そうした状況下，1950（昭和25）年の「社会保障制度に関する勧告」（社会保障制度審議会）において日本の社会保障制度の基本理念が示され，「社会保険」「国家扶助」「公衆衛生及び医療」「社会福祉」の四つが社会保障制度の柱とされました。社会福祉は「国家扶助の適用を受けている者，身体障害者，児童」などに必要な「生活指導」や「援護育成」であると位置づけられました。

やがて高度経済成長期に入り，1961（昭和36）年には国民皆保険，皆年金を実現させ，医療と年金の保障に課題を残しつつも1970年代はさらに社会福祉が拡充されました。

しかし，高齢化の進展や核家族化など，急速な変化が進み，社会保障制度全体の改革が必要とされ，1995（平成７）年，「社会保障体制の再構築に関する勧告――安心して暮らせる21世紀の社会を目指して」（社会保障制度審議会）が社会連帯を目指すという新たな社会保障体制の考え方を提示しました。

2000（平成12）年に社会福祉法が制定されるとともに，介護保険制度が実施された（介護保険法制定は1997（平成９）年）ことは，介護の領域を社会福祉分野から社会保険分野へと移行させたという点で，重要な転換点になっています。

2012（平成24）年，「社会保障・税一体改革大綱」が閣議決定され，消費税の引上げにも言及して社会保障の各分野にわたる改革方針が示され，同年，「社会保障制度改革推進法」が制定されました。この法律に

■図１－２　社会保障制度の変遷

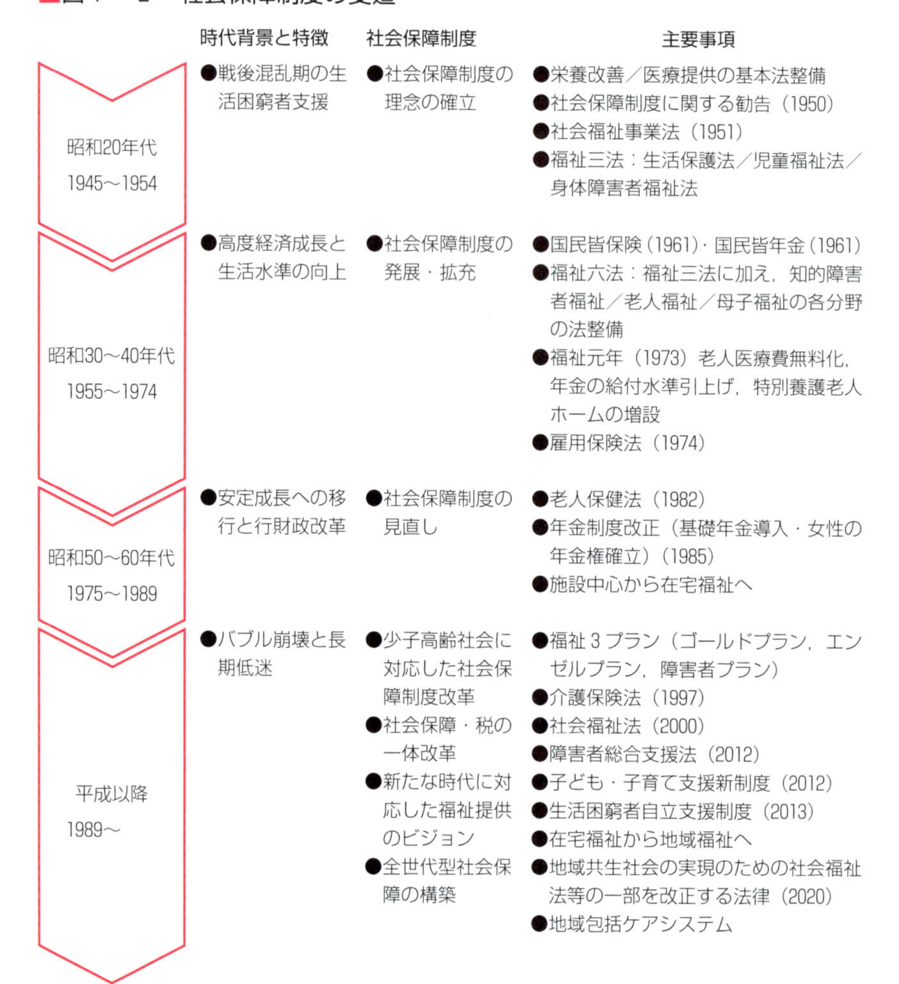

	時代背景と特徴	社会保障制度	主要事項
昭和20年代 1945～1954	●戦後混乱期の生活困窮者支援	●社会保障制度の理念の確立	●栄養改善／医療提供の基本法整備 ●社会保障制度に関する勧告（1950） ●社会福祉事業法（1951） ●福祉三法：生活保護法／児童福祉法／身体障害者福祉法
昭和30～40年代 1955～1974	●高度経済成長と生活水準の向上	●社会保障制度の発展・拡充	●国民皆保険（1961）・国民皆年金（1961） ●福祉六法：福祉三法に加え，知的障害者福祉／老人福祉／母子福祉の各分野の法整備 ●福祉元年（1973）老人医療費無料化，年金の給付水準引上げ，特別養護老人ホームの増設 ●雇用保険法（1974）
昭和50～60年代 1975～1989	●安定成長への移行と行財政改革	●社会保障制度の見直し	●老人保健法（1982） ●年金制度改正（基礎年金導入・女性の年金権確立）（1985） ●施設中心から在宅福祉へ
平成以降 1989～	●バブル崩壊と長期低迷	●少子高齢社会に対応した社会保障制度改革 ●社会保障・税の一体改革 ●新たな時代に対応した福祉提供のビジョン ●全世代型社会保障の構築	●福祉３プラン（ゴールドプラン，エンゼルプラン，障害者プラン） ●介護保険法（1997） ●社会福祉法（2000） ●障害者総合支援法（2012） ●子ども・子育て支援新制度（2012） ●生活困窮者自立支援制度（2013） ●在宅福祉から地域福祉へ ●地域共生社会の実現のための社会福祉法等の一部を改正する法律（2020） ●地域包括ケアシステム

資料：社会保障入門編集委員会編『社会保障入門2021』中央法規出版，p.8～13，2021年をもとに著者作成

は安定した財源を確保し，自助[11]と共助および公助の適切な組み合わせや，負担と給付のバランスに配慮して持続可能な社会保障制度を実現す

11）自助・共助・公助　p.12脚注ならびに第９章参照

るための改革が必要であることが記されました。そしてこの法律に基づいて「社会保障制度改革国民会議」(国民会議) が設置され改革が主導されてきました。

2013 (平成25) 年８月に示された国民会議の報告書では，自助を基本として共助がこれを支え，自助と共助で対応できない場合に公助が補完するという社会保障の方向性が打ち出されています。必要な増税に対する国民の納得を得るため，徹底した給付の重点化や効率化の方策の必要性も示されました。これは，「1970年モデル」とも呼ばれる高度経済成長のもとでの社会福祉拡充期の社会福祉を脱却し，「全世代型」の社会保障を目指すことへの方針転換であり，高齢者への保障に偏らず，子ども・子育て支援の強力な推進，住み慣れた地域での医療と介護の一体的な提供体制の推進改革など，世代間で切れ目のない保障というビジョンを描き出しました。

「全世代型社会保障」への変革を進めるためには，さらなる高齢化の進行に対応できる介護保険制度の改正が求められました。「経済財政運営と改革の基本方針2015」(「骨太方針」) では，社会保障関係費の伸びを消費税引き上げ分の充当可能な水準に抑制するため，経済的負担能力に応じた公平な負担や給付の適正化，データ分析の結果を活用した介護保険事業計画やPDCAサイクル強化によるサービス給付管理等，介護保険の引き締めともいえる見直しが行われました。

他方，子育て世代への経済的支援につながる幼児教育や高等学校授業料無償化，子育てしやすい雇用や，高齢者や障がい者の柔軟な雇用を可能とするための「働き方改革」，都市への集中から地方の個性ある活性化をうながす「まち・ひと・しごと創生総合戦略」など，さまざまな領域を関連づけた社会保障制度の改革が進められています。

これらは，2017 (平成29) 年の「地域包括ケアシステムの強化のための介護保険法等の一部を改正する法律」に続く，2020 (令和２) 年の「地域共生社会の実現のための社会福祉法等の一部を改正する法律」の成立において一つの方向性に集約されています。

すなわち，社会福祉法において市町村が包括的なケア体制の構築に努めることが規定され，自助・共助・公助に地域における助け合い「互助」も加えられて，地域共生社会の実現を目指すという社会保障の方向性がいっそう明確になりました。「地域社会のことは地域社会で」「地方は地方で」という福祉サービスの提供体制の法的な裏打ちが行われ，地域包括ケアの実験的な取組みも進められています。

このように，生活に困窮する国民に対する支援であった成立当初の社会保障は，年金や医療に注力した20世紀後半を経て，2020年代以降，地域社会における多様な人々の支え合いと共生によるケアの実現という目標のもとに改革と再編成が推進されています。

社会保障は，中央集権的かつ限定的であった時代から，小回りの利く地方行政の取組みや地域住民の自由な発想が実力を発揮する時代を迎えたということができるでしょう。地域共生社会という理想の姿を描き出したことは，経済的な豊かさだけを追い求めた時代から次のステージに入ったことをも意味します。

こうした取組みを評価する一方，国民の自助を前提とするがゆえの格差の拡大や，市町村の財政や地域包括ケアを実現するための基盤整備状況，さらには地域社会の特質などの要素が，社会保障の地域格差につながりかねないという一面にも注目しておく必要があるといえるでしょう。

⑶　社会保障の仕組み

社会保障制度は，社会保険を中心として，社会福祉や公的扶助，公衆衛生がそれを補足する形で発展してきました。

社会保険は，病気やケガ，高齢，失業など，人生で遭遇するさまざまなリスクに備えて国民や国，地方公共団体，それに勤務先の事業主などが，あらかじめ保険料を出し合って，リスクに直面した人にお金やサービスを提供する仕組みです。これに対し，社会福祉や公的扶助，公衆衛

■表１－１　社会保険制度の概要

	種　類	保険者等	被保険者	保険事故	保険給付
①年金保険	国民年金	国	20歳以上60歳未満	老齢，障害，死亡	●老齢年金 ●障害年金 ●遺族年金
	厚生年金		被用者		
②医療保険	国民健康保険	都道府県・市町村 国民健康保険組合	自営業者など	疾病，負傷	●療養の給付 ●高額療養費 ●訪問看護療養費など
	被用者保険	全国健康保険協会 健康保険組合 共済組合等	被用者（被扶養者）		
	後期高齢者医療	後期高齢者医療広域連合	75歳以上		
③労災保険		国	労働者	業務災害，通勤災害	●療養（補償）給付 ●障害（補償）年金 ●介護（補償）給付など
④雇用保険		国	労働者	失業など	●求職者給付 ●就職促進給付 ●雇用継続給付など
⑤介護保険		市町村	市町村に住所を有する40歳以上の人	要支援・要介護状態	●介護給付 ●予防給付 ●市町村特別給付

出典：いとう総研資格取得支援センター編『見て覚える！社会福祉士国試ナビ2022』中央法規出版，2021年（p.30）

生は，租税を主な財源として提供されます。公的扶助は，生活保護制度や各種の社会手当[12]などです。

ここでは，社会保障の中心ともいえる社会保険について理解しておきましょう。社会保険は，老齢や失業，疾病による所得の喪失，医療や介護の必要など，広く誰にでも起こり得る生活上の困難に備えて，国民が拠出する社会保険料と国庫や地方自治体などの負担金，使用者の負担金によって財源をあらかじめつくっておき，必要に際して保障を行う方法

12）社会手当　一定の要件を満たす人に給付される現金給付で，児童手当や児童扶養手当，特別児童手当などがある。公的扶助のうち，生活保護制度とは異なり資力調査をともなわない。生活保護制度については，第５章を参照。

です。

年金保険の中心は，老齢年金です。日本では，20～60歳（加入する年金保険の種類によっては70歳）の期間に定められた社会保険料を支払うことによって，老後に年金を受け取ることができる制度です。しかし，少子高齢化の急速な進展にともなって，社会保険料の負担は重くなり，高齢者が受け取る給付額は低く抑えられる傾向が続いています。

医療保険は，疾病や負傷の際の医療の給付を行う保険です。この分野でも高齢化の影響が顕著に現れています。高齢者は慢性疾患等により一人当たりの診療費が高額になる場合が多いことから，高齢者医療費の拠出は国にとって大きな負担となっています。このため，2008（平成20）年には，75歳以上の高齢者を対象とする後期高齢者医療制度が始まりましたが，社会保険料や医療費の負担が高齢者に課せられ，不安を感じる人々も増えています。

労働保険は，雇用保険と労働者災害補償保険（労災保険）に分けられます。雇用保険は，失業に際して求職活動を行う一定期間，失業給付（現金給付）を行う制度です。労災保険は，労働者が業務中または通勤中に負傷，病気，死亡した場合に労働者本人や遺族に対して必要な保険給付を行う制度です。

介護保険は，高齢期の介護を必要とする人が在宅や施設で介護サービスを利用するための制度です。その仕組みやサービス内容等については第８章に記しています。

社会保険は，広く国民が支え合う仕組みとしての性格を有しますが，少子高齢化や人口減少，就業構造や雇用環境の変化の影響を強く受けており，社会保障制度をより適切に維持して国民生活を安定させていくため，改革に向けた議論が続けられています。

5 社会福祉を支え，創る人々

法律に定められている社会福祉専門職の範囲は，社会福祉士，介護福祉士，精神保健福祉士，保育士などです。

社会福祉を支える専門職としてまず思い浮かぶのは，施設や在宅の現場で保育や介護に従事する人々です。介護の業務を「ケアワーク」，それに従事する人々を「ケアワーカー」とする呼び方があります。介護福祉士は，主として障がい者や高齢者の介護に従事しています。保育士の多くは保育所で働いていますが，保育所以外の児童福祉施設で保育や養育に従事しています。訪問介護員は在宅の高齢者や障がい者の介護や家事を支援します。

「ケアマネジャー」は介護保険制度の浸透にともなって広く知られています。介護保険法に定める「介護支援専門員」のことで，介護保険を利用する人々や家族と一緒に介護サービス計画（ケアプラン）を立案し，適切なサービス提供に結び付ける役割を担っています。ケアマネジャーになるには，まず定められた職種かつ一定の勤務実績により受験資格を得る必要があります。試験合格後は，研修を受けることで業務に従事できます。

病院や施設では，医師や看護師，そしてリハビリテーションに従事する理学療法士や作業療法士，言語聴覚士，また，栄養状態や口腔ケアを支える栄養士，管理栄養士も社会福祉を支える大事な役割を担います。

病院には医療ソーシャルワーカーが勤務し，患者の療養上の悩みや社会復帰に関する相談に応じています。学校での相談に応じるスクールカウンセラーは子どもの「心のケア」の専門職として公立学校への派遣が行われています。カウンセラーだけでなくスクールソーシャルワーカーも子どもの生活問題の深刻化に対応するため，配置の必要性が求められています。

施設では従来から生活に関する相談全般やほかの機関との連携や連絡調整の仕事を担当する相談員や支援員が働いています。施設の種別によって，職業指導員や就労支援員，生活支援員，児童指導員などがそれぞれの役割を果たしています。

こうした専門職の活躍の場は，在宅の人々への訪問へと広がっています。高齢者に限らず，障がい児・者や子どもたちなど幅広い人々の地域福祉を充実させていくためには，多様な職種が連携し，さまざまな専門職の知見を出し合いながら，より良い支援を行うことが大切です。

また，「社会福祉士[13)]」は，国家資格を有して相談支援に従事しています。

社会福祉協議会の専門員は，地域の福祉の企画運営によって地域福祉の構築に従事し，ボランティア活動の推進にも携わっています。

地域住民のなかから選ばれている民生委員[14)]は児童委員を兼ね，住民の立場に立って福祉に携わっています。児童委員のなかから，子どもに関することを専門に担当する主任児童委員が指名されています。

NPO団体の活動の発展もあいまって，福祉にかかわる人々は確実に増えています。ボランティアも含めれば，直接的・間接的に社会福祉の向上にかかわっている多数の人々の存在に気づきます。さらに，一般企業が社会福祉事業や関連事業に参入していることを反映して，福祉にかかわる仕事の従事者は増加しています。この章では社会福祉に特に近い領域の職種や領域について述べましたが，現在，幅広い人々の仕事が知らず知らず福祉に関係するようになっています。その広がりについては第10章で述べることにします。

そのような時代を迎え，専門職の専門性とは何か，改めて問われます。社会福祉の専門職にある人は，人間の価値に関する認識と福祉に関

13）**社会福祉士**　第４章参照
14）**民生委員**　p.201参照

する知識，体系的な技術を身につけていることが期待されています。それだけではなく，常に自分の実践を振り返り高める努力や，利用者を取り巻く社会の現実とその変化に敏感であることが必要です。

第2章　社会福祉の歴史

Point

◆人間の歴史とともに，生老病死や災害など生活困難に直面し，それを乗り越えようとする知恵と努力の試行錯誤を経て，社会福祉が形成されてきました。

◆生活上の困難を克服するための支援は，共同体内の相互扶助や宗教に基づく救済活動，為政者による施策，慈善家による慈善事業などによって行われてきました。20世紀後半になると，国家の責任で，基本的人権の視点から社会的共同・連帯の仕組みが確立されるようになり，社会福祉の成立に至ります。

◆社会福祉の歴史は，実践や制度の成立順序を羅列的（られつてき）に学ぶのではなく，その時代の社会・経済的背景のもとで現れる生活問題を知り，それを克服するための自助努力や個人的・組織的援助活動，為政者の定めた政策や法律などを結びつけながら学ぶことが大切です。各時代，各国に特有の援助のあり方を見つけて，その背景となる文化にも目を向けてみましょう。

◆この章では，日本と欧米（イギリスを中心に）の社会福祉の歴史的展開を概観します。

1　日本における社会福祉の歴史

(1)　古代から近世の慈善と救済

古代においては，共同体内の相互扶助と，皇室の慈恵的救済と仏教者の慈悲の実践としての救済が行われました。天災や凶作に際して天皇が行った「賑給（しんごう）」[1)]の記録は『日本書記』などに多数残されています。律令時代の法律にあたる「戸令」には「鰥寡孤独貧窮老疾[2]」という救済範囲が示され，血縁や地縁の扶養が難しい場合は郡司すなわち地方行政が対応するよう定められました。

後に律令政治を模範とした明治政府は「恤救規則」の前文で同じ内容を定めました。近代以降も日本が家族や共同体内の扶助を第一とする源流を古代に見出すことができます。

仏教に基づく慈善では，聖徳太子（574～622）による「四箇院[3]」や，元正天皇（680～748）や光明皇后（701～760）による施薬院，悲田院などがあります。行基[4]ら僧侶は，架橋や道路修築，布施屋づくりなどを実践したとされています。

中世では，血縁や地縁による救済を古代から引き継ぎつつ，封建的身分関係が形成され，領主の領民支配が中心となりました。農民は年貢などを負担しきれなければ土地を離れるしかありませんでした。鎌倉時代には救済の実践を重視する新仏教が登場し，重源[5]，忍性[6]に代表される僧侶は，農民らへの慈善救済を活発に行いました。

1）**賑給**　天皇が天災等に苦しむ人々に物資等をおくる慈恵的行為。古代では天災の折に粟などの食糧がおくられたり，めでたいことに際して布等がおくられたとの記事が，『日本書紀』など六国史にみられる。

2）**鰥寡孤独貧窮老疾**　鰥寡（老いて妻なき男と老いて夫なき妻），孤独（子どものいない人と親のいない子ども），貧窮（貧しい人），老疾（老いて身寄りのない者と障がいのある者）のことで，日本で救済対象を表現した最初のもの。律令時代の官制をまねた明治初期の「恤救規則」でも救済対象とされている。

3）**四箇院**　敬田院（教化施設）・悲田院（救済施設）・施薬院（薬草栽培と施与）・療病院（病院）の四つで，古代の慈善救済の実践とされている。しかし記録類は現存せず，内容等は明らかではない。

4）**行基**（ぎょうき　668～749）　奈良時代の高僧。15歳で飛鳥の官寺に入り，やがて弟子とともに諸国を回り布教にあたった。一説に1000人もの民衆が後を慕ってついてきたため，民衆を惑わすと罰せられたが，のちに許された。そして教化や救済，橋をかけたり布施屋を設けるなど，民衆のための慈善救済を行ったといわれている。

5）**重源**（ちょうげん　1121～1206）　浄土宗の僧。1180（治承４）年に炎上した奈良の東大寺の再建に尽くすとともに，湯屋（公衆浴場）を建てたり，飢饉の際には私財を投げ打って救済に努めたといわれる。

6）**忍性**（にんしょう　1217～1303）　1240（延応２）年に西大寺に出家し，のちに鎌倉の極楽寺に住み，慈善事業を展開した。療病院や薬湯室，施薬院や悲田院等を設けて救済を行ったり，架橋や道路の整備に力を尽くした。

戦国時代に特筆されるのは，キリスト教の伝来による慈善活動です。イエズス会宣教師のアルメイダ[7]（Almeida）らが九州を中心に活躍し，教会，育児院や病院，学校などを設立して人々の信頼と信仰を得て広まり，「ミゼリコルディアの組[8]」と呼ばれる地域組織も発展しましたが，やがて厳しい弾圧により，キリスト教慈善は途絶えました。

近世すなわち江戸時代は幕藩体制と身分制による支配が確立し，仏教による慈善救済よりも儒教道徳を規範とする徳治主義に基づいて人々の生活の安定を図ろうとする名君も現れました。人々の生活においては，引き続き血縁・地縁の相互扶助が中心で，五人組[9]は，共同体支配と自治的方策の性格を有していました。

近世中期以降の改革のなかでも着手されてきましたが，特筆すべきなのは，松平定信（1758～1829）が江戸で開始した七分積金（しちぶつみきん）の制度です。非常時に備えての備荒貯蓄や救済の基金づくりを進めました。明治初期，その残金が東京府庁の建設や架橋工事，養育院[10]の設立に役立てられました。

(2)　明治の公的救済と慈善事業

長い鎖国を経て西洋文明に刺激を受けた明治時代は，富国強兵，殖産

7）**アルメイダ**（1525～1583）　ポルトガル人。1552（天文21）年に貿易のために日本にやってきて，宣教師トルレス（Torres）に出会い感銘を受けたことから布教を志した。大分に乳児などを預かって育てるための育児院や病院を開設し，組織的な慈善事業を行う。一度マカオで司祭となるが，再び日本に戻り，1583（天正11）年に天草で没するまで医療活動・慈善事業を続けた。

8）**ミゼリコルディアの組**　ミゼリコルディアはポルトガル語で「慈悲」を意味し，他者への愛を実践する活動を行った団体で，長崎を中心に病院や孤児院などの施設運営や，病院での看護のボランティアなどに従事した。ボランティア活動の先駆けともいわれている。

9）**五人組**　戦国時代に成立したとされる組織。３代将軍徳川家光が浪人やキリシタンを取り締まる目的で強化した。犯罪の防止から訴訟の立ち会い，住民教化等を行う末端組織で，相互扶助的な役割も果たした。

10）**養育院**　1872（明治５）年，ロシア皇太子の来訪に際し，外交上の対面を保つために東京府内の行き場を失った人々245人を一括収容する目的で現在の東京大学赤門付近に設立された。収容者の処遇は授産が中心で，二度三度と移転しながら1932（昭和７）年には救護施設となる。戦前は児童を含め収容していたが，戦後は東京都養育院として高齢者の施設となり，研究所も有する高齢者の総合的な福祉の拠点ともされた。しかし，2000（平成12）年にはその幕をおろすことになった。

興業を機軸に中央集権の近代国家が形成された時代です。

明治初期，政府は1874（明治７）年に「恤救規則」を発布します。内容は，「人民相互ノ情誼（じょうぎ）」すなわち血縁・地縁の温情に基づいた救済を基本とし，公的救済の適用はごく狭い範囲にとどめられていました。

一方，公的救済の不足を補うかのように，明治時代は慈善事業が発展しました。キリスト教に基づく慈善思想の影響を受けて，石井十次[11)]による岡山孤児院，石井亮一[12)]による知的障がい児のための滝乃川学園，留岡幸助[13)]による家庭学校などが設立されます。ソーントン（Thornton, E.）らによる聖ヒルダ養老院[14)]が最初の養老事業です。片山潜はイギリスでトインビーホール[15)]の視察によって地域で定着して活動する意義を見出し，キングスレー館の活動を開始しました。

キリスト教だけでなく，仏教に基づく福田会育児院や大勧進養育院など児童の養育施設や，労働者の住まいと生活を支援する浄土宗労働共済会の活動も盛んになりました。

明治末期には，これら慈善事業は国家主導の感化救済事業へと組織されていきます。困窮する人々の救済は，勤労意欲の高い国家の良民育成

11）**石井十次**（いしいじゅうじ　1865～1914）　宮崎県に生まれ，1887（明治20）年に明治の代表的な児童養護施設である「岡山孤児院」を創設した。一時は1200人を超える子どもを収容したが，1907（明治40）年以降，石井は集団養護に疑問をもち，宮崎県に里親村を建設し，新しい養護のあり方を模索した。

12）**石井亮一**（いしいりょういち　1867～1937）　佐賀県生まれ。立教大学在学中に受洗。立教女学院の教頭の職にあるとき，濃尾大地震が起こり，みずから出向いて孤児をひきとり，自宅で養育を始めた。それを「聖三一孤女学院」と名づけた。そのなかに２人の知的障がい児がいたことからその教育への関心を深め，日本で最初の知的障がい児施設「滝乃川学園」を開設し，宗教教育と労作教育に力を入れた教育を行った。

13）**留岡幸助**（とめおかこうすけ　1864～1934）　岡山県生まれ。同志社神学校を卒業後，教誨師（きょうかいし）となり北海道空知の監獄で働く。この間不良少年の感化教育の必要性を痛感したことから，渡米。帰国後，東京に「家庭学校」を開設し，雑誌「人道」を主宰した。

14）**聖ヒルダ養老院**　イギリス聖公会宣教師として来日したソーントンら２人が，1895（明治28）年に設立した日本で最初の老人ホーム。東京市芝区に民家を借りて，2人の高齢な女性を養護したことに始まる。1926（昭和２）年にイギリスに帰国したのちは日本人に引き継がれて戦後まで続いたが，ベタニア・ホームとの合併により幕を閉じた。

15）**トインビーホール**　イギリスの経済学者，アーノルド・トインビー（Toynbee, A.）（1852～1883）が学生らとともにロンドンのスラム街に住みこんでセツルメント活動を行ったことを記念して，1884年にバーネット（Barnet, S.）牧師が設立した建物。

という道徳主義的な意味づけがなされていきます。公的救貧対策は内務省（現在の厚生労働省）の管轄ですが，「中央慈善協会」（1908（明治41）年）の設立による慈善事業の組織化にも，内務省が主導的役割を果たしました。天皇を中心とする家族国家観の形成のもと，慈恵の象徴として恩賜財団済生会のように，「下賜金」による救済団体も設立されました。

(3)　社会事業の成立と展開――大正時代から戦前期へ

①社会事業の成立

明治時代は産業革命が急速に進行し，労働者ならびに都市下層と呼ばれる人々の貧しい生活実態が新聞[16]に掲載されて世に知られるようになりました。

大正期，第一次世界大戦と社会主義運動が広がりを見せる世界的な動向を背景に，日本で「社会事業[17]」が成立していきました。参戦国では戦争による物価の高騰や劣悪な労働条件，戦後不況による生活苦がみられましたが，とりわけ，ロシアでは食糧難の深刻さや戦死者の多さからロシア革命が起こり，ロシア帝政が終焉を迎えました。日本では，大戦終結直前の1918（大正７）年，米騒動[18]が富山県から全国に広がりました。河上肇は『貧乏物語』（1916（大正５）年）で，貧困は道徳問題ではなく社会問題であることを述べて社会主義研究へと転じるなど，政府は，国民の不満が社会主義運動の発展に拍車をかけるのではないか，という強い警戒感をもちました。さらに，1923（大正12）年の関東大震災[19]は，戦後不況に見舞われていた日本経済に打撃を与えました。

16）**新聞**　多くの新聞が創刊された明治期のルポルタージュが生活の実態を知らせる役割を果たした。「府下貧民の真況」（著者不明　1886（明治19）年）や「最暗黒の東京」（松原岩五郎　1893（明治26）年），「日本の下層社会」（横山源之助　1899（明治32）年）などがある。

17）**社会事業**　「社会事業」という名称は，1920（大正９）年の「全国社会事業大会」開催のころから公式に用いられている。

18）**米騒動**　1918（大正７）年，第一次世界大戦やシベリア出兵などの影響で米価が高騰したことを背景に，富山県で始まった暴動。米問屋の焼き討ちなどが全国に広がり，約50日にわたる騒動の参加者は数百万人にのぼり，政府は対応に追われた。

これらを契機として，政府は思想の取り締まりを強化する一方で生活不安を軽減するため社会事業に着手したのでした。恤救規則は，隣保相扶[20]の強調ばかりで実質的には救貧の役割を果たしておらず，その本格的な改正は行われませんでした。また，公設廉売市場，公益食堂等の経済保護事業や，職業紹介事業，貧児教育等児童保護事業，救療事業等々，さまざまな事業が開始されました。これらの社会事業を推進する行政機関として，内務省社会局が1920（大正９）年に設置されました。

社会事業を支える社会事業思想と社会事業理論も発展しました。社会事業行政に携わる内務官僚や実践家，学者らがそれぞれの立場で活発に社会事業思想や社会事業理論を展開しています。長谷川良信『社会事業とは何ぞや』（1919（大正８）年），田子一民『社会事業』（1922（大正11）年），生江孝之『社会事業綱要』（1923（大正12）年），小河滋次郎『社会事業と方面委員制度』（1924（大正13）年），矢吹慶輝『社会事業概説』（1926（大正15）年）など，日本の社会福祉を理解するうえで不可欠な著書が多く残されています。多数の社会事業調査による実態把握が行われ，社会事業理論の発展を支えました。

地域における福祉では，地域に根ざしたセツルメント活動[21]の発展や民生委員の前身である方面委員制度[22]が始められましたが，いずれも海外の

19）**関東大震災**　1923（大正12）年に発生し，東京府，神奈川県など関東地方を中心に10万人以上が死亡した。家屋倒壊だけでなく，震災後の火災による被害も甚大で，被災者は190万人余りであった。震災後には，帝都復興事業により首都東京の再建が行われた。

20）**隣保相扶**　隣保とは，自治と自警を行う近隣の単位として，中国にその起源をもつ制度。日本では，律令時代の五保の制はこれをまねてつくられたもので，江戸時代の五人組制度に引き継がれる。隣保の内部で相互に助け合うことが隣保相扶で，日本では政策的に常に奨励されてきた。

21）**セツルメント活動**　この時期のセツルメント活動では，北米やカナダの宣教師の影響も大きかった。トインビーホールの影響を受けたキングスレー館（p.29）に加え興望館（東京）が有名である。また，東京帝国大学セツルメントなど大学セツルメントも多く活動を開始している。

22）**方面委員制度**　1917（大正６）年，岡山県で済世顧問制度，1918（大正７）年の大阪府方面委員制度などが，その前身といわれる。済世顧問制度はドイツのエルバーフェルト市が行っていた方法，すなわち市域を区分して区域内で貧困救済を行う監督官を配置して救済にあたったものである。

活動に影響を受けて発展したものでした。

②救護法の制定

1927（昭和２）年の昭和金融恐慌とそれに続く1929（昭和４）年の世界大恐慌，そして，翌年，翌々年と大凶作，大水害や冷害が続き，大正時代に形成した社会事業は，その中心を失業対策と農村対策に向けるようになりました。

政府や自治体による失業統計・実態調査と，各種の失業救済事業の実施，職業紹介所の整備などが行われましたが，それでも国民全体をおおう生活難を解決することはできませんでした。

農村はさらに悲惨な窮乏状態にあり，身売りや心中が頻発します。隣保相扶には期待できず，公的救済の必要性が増し，農山漁村経済更生運動，人身売買防止運動や農村医療施設の設置，農村結核予防運動など一連の農村社会事業が展開されました。

そして，救護法制定への気運が一気に高まりを見せ，1929（昭和４）年には救護法が公布，1932（昭和７）年に施行されました。

救護法では，障がいや老齢のため働けず生活できない人々を対象として，生活扶助，医療扶助，助産扶助，生業扶助の４種類の救護が設けられて，救護費用は国，都道府県，市町村とで負担しました。救護の方法は居宅救護を原則としましたが，養老院や孤児院などが救護施設に位置づけられて収容保護も認められたため，救護費が支給されるようになり，養老院の急増もみられました。救護対象となる人々の生活実態把握や適切な救護の運用のため，方面委員が行政に協力することと定められました。

③戦時厚生事業への展開

1930年代には，社会事業に関する法律制定を求める民間社会事業の運動が展開され，1938（昭和13）年の社会事業法制定と厚生省の設置も行われました。しかし，前年の1937（昭和12）年には日中戦争が始まり，国民精神総動員運動も展開されて，日本は第二次世界大戦へ進んでいきました。社会事業法は戦時下の国策の性格を強く有し，国民生活の維持と人的資源の保護育成の目標にかなう事業を中心とする戦時厚生事業が編成されます。社会事業は厚生事業へと名称を変え，太平洋戦争の開戦（1941（昭和16）年）以降，国民生活への国家統制がより徹底されると，厚生事業も戦時体制への協力の性格を強めました。軍事救護や人的資源対策としての児童保護や母子保護，健康政策の分野が強化される一方，戦争の人的資源とはならない高齢者や障がい者の救護は切り捨てられました。

「方面委員令」（1936（昭和11）年）では，方面委員に対し地域における戦力増強の指導的な役割が期待されました。隣組組織も強化されました。この時代は，多くの社会事業理論や実践が戦時厚生事業へと巻き込まれ，やがて日本は敗戦を迎えました。

⑷　戦後社会福祉事業への展開

①敗戦処理からの出発

1945（昭和20）年，戦争終結のときには，経済的にも社会的にも混乱し，食料や住宅，すべての物資が不足し，深刻な生活難を乗り切るために，物資や資金の国際援助を受けました。そして，連合国軍最高司令官総司令部（GHQ）の方針に基づいて，戦時厚生事業の解体と民主主義に基づく社会福祉施策の編成が行われました。

日本国憲法制定に続き，児童福祉法（1947（昭和22）年），身体障害者福祉法（1949（昭和24）年），生活保護法（1946（昭和21）年制定，1950（昭和25）年に全面改正，当時，新生活保護法と呼ばれた）の福祉三法と，社会福祉事業法（1951（昭和26）年）も定められました。いずれも敗戦後の生活不安に対応するためのものでした。そして，1950（昭和25）年，社会保障制度審議会による「社会保障制度に関する勧告」において，日本の戦後社会保障の基本方針が示されました。

②高度経済成長と社会福祉

戦後の混乱にようやく光がさしてきた昭和30年代には，池田勇人内閣による「所得倍増計画」（1960（昭和35）年）がけん引力となって，高度経済成長の時代を迎えます。経済成長が個人の生活の向上と社会福祉への分配を拡大させるという考え方が打ち出され，1960（昭和35）年度の厚生白書は「福祉国家への途」という副題が付されていました。この時期には，福祉三法に加えて，精神薄弱者福祉法（1960（昭和35）年制定，1998（平成10）年に「知的障害者福祉法」に改称），老人福祉法（1963（昭和38）年制定），母子福祉法（1964（昭和39）年制定，1981（昭和56）年に「母子及び寡婦福祉法」に，2014（平成26）年に「母子及び父子並びに寡婦福祉法」に改称）が加えられて福祉六法が出そろい，「六法体制」とも呼ばれています。1961（昭和36）年には，皆年金・皆保険の実現により，年金と医療の保障が前進し，1960年代から70年代初期は日本の社会保障の拡充期でした。

このころ，アメリカやイギリスでは「貧困の再発見」が提起されていました。日本においても，高度経済成長による生活の安定の一方で，公害問題や過疎過密，高齢者福祉の問題を目のあたりにした国民は，所得が増えるだけでは，生活の豊かさを得られないことを感じ始めていました。

③オイルショックと社会福祉の見直し

1973（昭和48）年は「福祉元年」といわれ，高度経済成長を背景に，社会福祉拡充の兆しがみえましたが，同年に起きたオイルショックはそれを一転させ，「社会福祉の見直し」へと政府を動かしました。

財政赤字の深刻化にともなって，経済成長を前提とする社会福祉のあり方を打破しなければ，社会福祉の真の確立も進展もない，という局面を迎えたのでした。イギリスやスウェーデンなど福祉国家では社会保障が勤労意欲を低下させるなどのマイナス面が紹介されるようになり，日本独自の政策の必要性が示されるようになりました。

「これからの社会福祉――低成長下におけるそのあり方」（全国社会福祉協議会，1976年）では，施設中心からコミュニティ・ケアへの移行，ボランティア活動の推進など，地域のサービス供給を低コストで行う指針を示しました。

政府は1979（昭和54）年の「新経済社会７ヵ年計画」のなかで「日本型福祉社会」を提案します。これは，個人の自助努力ならびに家族や親族による相互扶助を重視し，社会福祉への歳出抑制，受益者負担の強化，補助金の削減，民間施設への委託などを積極的に進めるというものです。この提案は，社会福祉のあり方を根本から変更する内容を多く含んでおり，一部の反論を招きながらも，1980年代には次々と実施に移されていきました。

④平成の社会福祉改革

日本の社会福祉は戦前の基礎を残しつつ，第二次世界大戦後，約半世紀にわたり，福祉六法体制のもとで骨格がつくられ，社会経済状況との関連で必要な修正を加えながら運営されてきました。

しかし，福祉サービスを利用する高齢者は，戦後の日本が重視してきた所得保障にとどまらず，楽しみやゆとりのある老後の暮らしや，自由に選択できるサービスを期待するようになりました。また，ノーマライゼーションの考え方も広がり，施設中心から地域における生活の継続が重視されるようになりました。一方，国の財政は急速な福祉需要の増大を支えきれるものではなく，具体的な目標を定めた計画的整備が急務とされました。

こうしたことから，1990年代には社会福祉の法および行財政を安定的に運営できるあり方へと改編する取組みが進められました。社会保障制度審議会による勧告「社会保障体制の再構築に関する勧告――安心して暮らせる21世紀の社会を目指して」（1995（平成７）年）は，社会連帯を理念とする新たな社会保障像を提示しました。

1997（平成９）年に設置された中央社会福祉審議会社会福祉構造改革分科会は社会福祉のあり方について抜本的な見直しを行い，翌年６月の「社会福祉基礎構造改革について（中間のまとめ）」を経て1999（平成11）年に「社会福祉基礎構造改革について（社会福祉事業法等改正法案大綱骨子)」が発表されました。そして，2000（平成12）年6月「社会福祉の増進のための社会福祉事業法等の一部を改正する等の法律」が成立・施行，社会福祉法の成立に至りました。

「社会福祉基礎構造改革」は，20世紀の社会福祉からの脱却を意味し，さまざまな影響を国民生活に与えるもので，一連の改革は「平成の社会福祉改革」とも呼ばれます。

⑤少子高齢社会の社会福祉

2005（平成17）年，日本の人口は減少[23)]し，少子高齢化が急速に進んでいます。その影響は労働力不足などを通じて経済成長の停滞にもつながります。こうしたことから，2012（平成24）年2月に閣議決定された「社会保障・税一体改革大綱」では，社会保障の機能を確実に強化し，持続可能性の確保を図ることを目指すことが記されています。高齢者や子どもだけではなく，「全世代対応型」社会保障制度の構築を目指して，国と地方が一体となって，安定的に実施していくことが重要であることはいうまでもありません。

社会福祉基礎構造改革は，世界的な新自由主義の潮流のもとで進められ，社会福祉への市場原理の導入を進め，福祉にかかわる産業の活性化をもたらした反面，経済力しだいで異なる生活は個人化や孤立を招きやすく，地域社会に根ざした絆(きずな)づくりの工夫が必要とされます。幅広い市民参加は，絆づくりの工夫の一つといえます。

⑥2000年以降の社会福祉の動向

21世紀を迎えた日本の社会保障は，団塊ジュニア世代が高齢者となる2040年を見据えて，多岐にわたる分野の改革が進められています。

「社会保障・税一体改革」が目指す全世代型社会保障への転換は，社会福祉分野など，単体の改革ではなく，分野横断的で総合的な改革を意

23）**人口減少**　総務省によれば，2005（平成17）年の減少後，人口静止状態となるが，2008（平成20）年以降は減少率が徐々に大きくなっていることから，2008（平成20）年を人口減少「元年」としている。

図しています。健康寿命の延伸をもとに予防的医療や福祉サービスの人材確保，高齢者や女性，障がい者などの多様な就労や社会参加を可能にする雇用制度改革や年金制度改革など，かなり多様な分野の改革を扱っていかなくてはなりません。

就労支援の観点では，ホームレスの自立支援や母子自立支援，障害者総合支援法，また，2007（平成19）年の「『福祉から雇用へ』推進５か年計画――誰でもどこでも自立に向けた支援が受けられる体制整備」の策定にみられるように，就労による完全な自立と社会福祉サービスや生活保護制度を活用するかの二者択一ではなく，就労と福祉の中間に階段を上るための補助台を用意するような支援方策が講じられるようになっています。これらは，法整備だけでなく，多様な人々が共生できるソーシャルインクルージョンの実現を目指す方策と表裏の関係にあります。NPO団体などの活動によって地域社会に多様な機会が生まれることが期待されるところです。

それは，一極集中を解消させて魅力と個性のある地方を活性化させる「まち・ひと・しごと創生法」（2014（平成26）年）による「まち・ひと・しごと創生総合戦略」にも関連する事柄です。既に第２期を迎えた戦略では，それぞれの自治体が地域社会での仕事と生活の調和，潤いのある暮らしとまちづくりなどを目指して，各地域の強みや豊かさのありようをアピールする方策を講じています。そのために地方分権の推進も図られています。

これらを集約的に示しているのが「地域共生社会の実現のための社会福祉法等の一部を改正する法律」（2020（令和２）年）です。

日本の社会福祉の歴史は古代から一貫して，家族・地域社会に強く依拠してきたことは既に述べてきたとおりです。今後，新たな体制づくりが進められて少しでも貧困の広がりや虐待の増加など山積みの課題に歯止めをかけられるかどうか，それは家族や地域社会だけでは不可能であり，積極的な政策が必要とされています。

2 欧米における社会福祉の歴史的展開――イギリスを中心として

(1) 旧救貧法の制定による公的救済の始まり

中世のヨーロッパはキリスト教を基礎とする，領主と農奴の関係が主軸となる社会でした。キリスト教会を中心とする村落では相互扶助と教会の慈善活動が行われました。歴代の法皇は，村落におかれた教区司祭に救貧の義務を課し，教区ごとに貧民の扶養や，高齢者や病人・障がい者の保護などの慈善（教区慈善[24)]）にあたらせました。

中世は10世紀前後から13世紀ごろまでの長期にわたるので，時期ごとに特質がありますが，都市の形成と発展，商工業の発達が著しく，貧富の差が拡大しました。後半期には，都市独自の救貧課税も行われ，教会以外の救貧事業が始まります。キリスト教慈善は衰退の傾向をたどり，世俗的で近代的な救済事業へと移行していきました。

イギリスでは絶対王政[25)]のもとで，15世紀から16世紀にかけて増え続ける貧民への抑圧を強めました。ロンドンへの移動を厳しく罰する法律を次々と制定しましたが，効果はなく，貧民は増加の一途をたどりました。厳罰を定めた法律の集大成として，1601年，「エリザベス救貧法」が制定されました。国家的規模で定められた世界で最初の救貧法であり，1834年の「新救貧法」制定までの200年以上にわたり，救貧の基本法として存在しました。新救貧法（New Poor Law）と区別する意味で「旧救貧法」（Old Poor Law）と呼ばれます。

救貧法による対応は，それまで教会が担ってきた慈善とは異なり，行政的な手法での救貧の登場を意味しています。その特質は3点あげられ

24） **教区慈善**　古代から中世への移行期，社会の不安定な状態を背景に，教会の教区を単位として救貧救済への取組みが始まり，司祭を中心にさまざまな慈善活動を展開した。

25） **絶対王政**　ヨーロッパでは中世社会から近代社会への移行期に絶対的権力をもつ王政が樹立された。イギリスでは，テューダー朝の成立に始まる。

ます。第一に，貧民に対しては抑圧的な厳しい対応を基本としたことです。第二に，貧民を労働能力の有無などにより分類し，それぞれに異なる対応を行ったことです。働ける者と働けない者，子どもとに分類し，働ける者には労働を，働けない者には親族による扶養の徹底と最低限の保護を与え，子どもには徒弟として仕事に就くことを強制することを定めていました。第三に，教区を単位として「貧民監督官」が任命されたことです。貧民監督官は教区委員と協力して救貧税を集め，働けない者の保護や，働ける者の授産に必要な物品の調達費用等に充当しました。

(2)　市民革命から博愛事業への展開

絶対王政はやがて市民革命[26)]に倒され，その後の救済が教区に任されて救貧費が増大しました。そのため，労役場[27)]を設立して働ける貧民を雇用し，救貧税を縮小できるようにしようとしました。ワークハウス・テスト法（ナッチブル法，1722年）では，救貧の対象となり労役場に行くことをみずから思いとどまるほど，労役場を過酷な場として，救貧費の増加を抑えようと考えました。

しかし，やがて，こうした見せしめとするような方法に対する批判が強まり，1782年の「ギルバート法」では，居宅保護も認められるようになり，1795年には「スピーナムランド制度[28)]」によって救貧院外の救済が拡大しました。

18世紀は「博愛の時代」とも呼ばれています。重商主義思想のもと

26）**市民革命**　封建的土地所有と身分制度の廃止，基本的人権の要求，議会制等を求めて封建社会から資本主義社会への移行期に起きる革命。イギリスでは，王権神授説を提唱するチャールズ１世を中心とする国王派と富を蓄えて自由を主張する議会派が対立。1642年には戦火を交えるに至った。これがピューリタン（清教徒）革命であり，その後，長く散発的な戦闘が続いた。

27）**労役場**　ワークハウスの訳語。17世紀，労役場において労働能力のある者をできるだけ安価に雇用して利潤を得ることができれば国富の源泉となりうるという，いわゆる「貧民の有利な雇用論」が広がった。一方では，劣悪な環境の見せしめの場としての性格も有した。

28）**スピーナムランド制度**　イギリス南部での貧困の広がりに対処するため，労働賃金を救貧税から補充する制度。救済額をパンの価格や家族の人数，性別，年齢等で算定し，労働賃金との差額を支給した。

で，博愛事業は富の増大に貢献すると意味づけられ，資本主義社会の進展を背景に社会問題の顕在化した都市から農村へと広がりました。

(3)　産業革命と19世紀の社会福祉

1834年の「新救貧法」では，救済水準を全国一律にし，その水準は「劣等処遇の原則[29)]」によるものとすること，働ける者への居宅保護は廃止して労働に就かせ，救済は労役場内のみとすることなどが決められました。

市民革命後の社会では，封建的身分制が取り払われ，「法の前における万人の平等」を認める自然法の考え方が基本原理となりました。自由と平等は権利であるという認識が利潤追求の自由という考え方につながり，貧困に陥る原因は個人の性格や努力不足にあるという貧困観を生みました。

18世紀から19世紀にかけて起きた産業革命は，欧米諸国に波及し19世紀の社会を形づくりました。どの国でも富の生産を飛躍的に増強させ，熟練職人層や女性，子どもを工場労働者へと変化させました。工場が林立する新しい都市では，労働者たちが劣悪をきわめた環境での労働と生活を強いられるようになります。

こうした状況に対し，イギリスでは慈善団体が乱立したため，これらの連絡・調整を通じて効率的に救済を行うことを目的として，1869年にCOS[30)]（慈善組織協会）がロンドンで設立されました。

また，1873年に起きた世界的な恐慌は，失業率を増大させ，貧困者の増加と失業者の社会運動をもたらしました。トインビーホールに象徴さ

29）劣等処遇の原則　救貧法の対象に対する公的救済の水準は，救済を受けないで生活している労働者の生活水準より低いものでなければならないという原則。公的救済を受ける人の生活水準は低くて当然だとするこのような考え方は，「権利としての社会福祉」という考え方とは相いれないものである。権利としての現代の社会福祉が確立される過程で克服されなくてはならない原則であるとされている。

30）COS　イギリスで起こった慈善組織化運動。救済の重複や無制限な施与を避けるために慈善活動の連絡調整を自発的に行い，その組織化を進めた。友愛訪問員による訪問活動を行い，その際の個別的な処遇がケースワークの基礎となった。

れるセツルメント活動が始まり，ブース[31]（Booth, C.）の『ロンドン民衆の生活と労働』（1902～1903年）やラウントリー[32]（Rowntree, B. S.）の『貧困――都市生活の研究』（1901年）など，その実態に迫る社会調査に基づく報告書が刊行されます。

一方，ドイツでは，繊維工業都市のエルバーフェルト市において救貧規則が整えられ，1853年から居宅の貧民扶助が行われるようになりました。この制度は「エルバーフェルト制度」と呼ばれ，他の国々にも影響を与えました。「人から人へ」と救済を行うことを特色とし，日本の方面委員制度につながっています。1871年にビスマルク（Bismarck, O.）が宰相になると，労働運動への弾圧を強めますが，一方では疾病保険（1883年）や老齢保険（1889年）を実施しました。国家的な社会保険制度への最初の取組みです。

アメリカでは，1877年にバッファロー市にCOSが設立されました。その後，全米の主要都市に広がりを見せ，友愛訪問が行われました。また，1889年には，ジェーン・アダムス（Addams, J.）がシカゴに「ハル・ハウス」を設立して，セツルメント活動を行いました。

ドイツでも，19世紀後半にはキリスト教会による慈善活動が組織化され，国家政策への助言や提案が行われました。

19世紀には，貧困の原因が個人の怠惰ではなく，個人の努力を超えた社会的な背景であることが示され，慈善だけではなく，社会政策や科学的な援助方法を目指す近代的な社会事業を生み出す力となりました。

31）**ブース**（1840～1916）　イギリス人。「ブース汽船会社」を設立した実業家だったが，あるときスラム街を目のあたりにして衝撃を受け，社会改良家としての活動を始める。1889年から1902年にかけてロンドンの貧困調査を行い，『ロンドン民衆の生活と労働』という膨大な報告書をまとめ，科学的方法に基づいた貧困調査の創始者といわれている。事業の利益を社会改良に投じた晩年には老齢年金についての提言も行って，イギリスの社会保障制度の確立に貢献した。

32）**ラウントリー**（1871～1954）　イギリス人。父の経営する製菓会社の重役として会社経営に従事するかたわら，社会学の研究にも没頭し，数々の著書を残した。父親も同様の研究を行っていた。ヨーク市の貧困調査を行い，「貧困線」という概念を提示。ブースの影響を強く受けていることは自他ともに認めるところ。1952（昭和27）年に来日している。

⑷　20世紀の社会福祉の成立

イギリスでは，1905年に発足した「救貧法及び失業者救済に関する王命委員会」で，貧困者を人格的欠陥者とみなして慈善団体の援助活動を重視する保守的な多数派と，単なる救済でなく貧困予防策の構築を求める社会改良主義的な少数派の意見が対立しました。結果として後者の主張に基づく社会保険制度の導入が決められ，「国民保険法」（1911年）が制定されました。

1929年の世界恐慌は深刻な影響を与えました。アメリカでは各州で失業対策が行われ，国家的な取組みの必要性が強調されるようになりました。1933年にルーズベルト（Roosevelt, F.）大統領は「ニューディール政策」を打ち出し，大規模な失業対策を展開しました。1935年には「社会保障法」が制定されました。

イギリスでは，1942年に「ベヴァリッジ報告」において，社会保険による均一額の保険料拠出と均一額の最低生活費給付が提唱され，対応できない場合には，国家扶助の適用対象とすること，中央官庁を設立し，社会保障行政を一括することなどの考え方が示され，「ゆりかごから墓場まで」といわれる包括的な社会保障の成立につながりました。

20世紀の前半期，アメリカでは対人的な援助技術が発達をみました。1920年代，COSの活動家であったリッチモンド（Richmond, M.）は『社会診断』を著してケースワーク理論を確立しました。大恐慌期においてはグループワーク（集団援助技術）とコミュニティ・オーガニゼーション（地域組織化）が発展しました。加えて，立法要求としてのソーシャルアクション（社会活動）が展開し，社会福祉の方策や活動が活発化しました。

⑸　福祉の拡大から見直しへ

1945年以降，イギリスは労働党政権下で福祉国家への道を歩んできましたが，朝鮮戦争の時期にはインフレが続き，社会保障の抑制がみられました。軍事費の増加のために無料医療の原則が崩れ，「大砲かバターか[33]」の言葉が生まれます。また，ベヴァリッジ報告は，1960年代に応能負担の導入など主要部分で修正をせまられ，一つの理想が崩壊しました。

1980年代には，新自由主義を標榜するサッチャー（Thatcher, M.）政権が登場し，大幅な福祉の見直しを断行するまで，基本的には自他ともに認める福祉国家の道を歩んだといえます。

専門職の成立もうながされ，社会福祉の専門職の確保に着手します。1966年，シーボーム（Seebohm, F.）を委員長とする王命委員会が発足して，1968年に「シーボーム報告」が提出されました。この報告に基づいて，地域の福祉サービスを強化するため地方自治体には社会サービス局を配置し，個々人や家族への個別的な対人サービスを行う職種としてソーシャルワーカー制度を導入します。

1982年の「バークレイ報告」では，ソーシャルワーカーは「コミュニティから切り離された個人」への対人サービスだけでなく，「コミュニティの一員としての個人」という視点に立った対人サービスや社会的ケア計画の取組みへの視点が示されました。

さらに1988年の「グリフィス報告」では，コミュニティケア推進の方針が出されました。大規模施設から自宅または地域の小規模施設におけるコミュニティケアへの転換という画期的な方針が示され，ケアサービスの効率的で適切な管理を行う「ケアマネジャー」の新設などが提言されました。

この報告が1990年の「国民保健サービス及びコミュニティケア法」（NHS and Community Care Act）の制定（コミュニティケアに関しては1993年実施）をうながしました。1990年のコミュニティケア改革に

33）**大砲かバターか**　1946年の国民保健サービス法が膨大な国庫負担を招いたイギリスでは，労働党内閣が社会保障費を削減して再軍備の費用にあてようとしたところ，ベバン（Bevan, A.）労働大臣がこの言葉を残して辞任したため論議を呼び，その後も「軍備か福祉か」を象徴的に表現する意味で使われている。

おいては，地方自治体はニーズと資源の状況を勘案して，毎年，コミュニティケア計画を策定し，民間団体やボランタリー団体などが連携して豊富なサービスを提供できるよう，各種団体のサービス提供主体への参入を推進しました。行政の役割はニーズ判定からサービス供給までの主体ではなく，オーガナイザーであることが強調されたのです。ケアに関して自治体が提供するサービスは民間事業者との競争によって効率化と費用対効果が求められるようになりました。日本における措置制度から利用契約制度への転換に際して行われた，多様なサービス供給主体の参入も，こうした世界的な潮流であったことがわかります。

イギリスに限らず，20世紀の後半期は，世界各国で福祉見直し論が台頭しました。

アメリカでは1973年のオイルショック以後，レーガン（Reagan, R.）政権のもとで保健，福祉，教育の連邦政府補助金が大幅に削減されました。その後，クリントン（Clinton, B.）政権下で財政は安定しましたが，医療保険に加入していない人々やホームレスの増加など，格差の拡大が顕著となりました。

⑹　福祉国家の新たな枠組みづくりへ

20世紀は各国の歴史や文化を反映させて社会福祉を確立させた世紀でした。時代の変化のなかで見直しや縮減の流れもみられましたが，20世紀末には，イギリスでは労働党のブレア（Blair, T.）政権が成立し，10年にわたり首相を務め「第三の道」を提唱しました。1997年には，サービス開発，戦略的経営の必要性を目的に民間サービスのさらなる拡大が進められようとしていました。ブレア政権は，民間サービスを重視する福祉ミックスを提唱する過程で，公的福祉サービスはより支援の必要な者に対する選別性を認めることによって効率的な方法とすべきとし，広い意味でのケアサービスの提供には公私のパートナーシップによるケア市場を構築する方向を示しました。

また，保守党政権下ではソーシャルワーカーの専門性についても課題が生じていました。企業的な性格も有するケア市場においては，本来のソーシャルワークの専門性よりも，民間サービスを利用者に適切なケアとして購入するケアマネジメント業務が求められ，ソーシャルワークの専門職の基盤が揺らいでいます。この点もまた，日本において，ソーシャルワーク業務と同一ではないケアマネジャーが介護保険制度や地域包括ケアシステムのなかに位置づけられたことに共通しています。はたして，市場的な民間サービス提供の方法においてコミュニティケアが実現可能であるのか，模索が続けられるでしょう。

グローバリゼーションの進む現代社会では，世界各国の社会福祉が同時的，共通的に変化していく性格を強めています。したがって，世界中が瞬時につながる21世紀には，共通に目指す社会福祉のあり方に目を向けておくことが大切です。

第3章　社会福祉の法と行財政

Point

- ◆社会福祉にかかわる法律と各種の政令，省令，規則，地方自治体の条例などを総称して「社会福祉法制」と呼びます。社会福祉法制は，憲法に保障された「権利としての社会福祉」を基本理念としています。
- ◆社会福祉は法令に基づいて，国，都道府県，市町村の分担と協力によって運営されています。その財源は，公的財源と民間の資金，利用者の費用負担などによってまかなわれています。
- ◆この章では，社会福祉の法と行財政の基礎知識について学ぶとともに，社会福祉の今後の方向性についても考えましょう。

1　社会福祉法制

(1)　社会福祉法とその改正

社会福祉法は，社会福祉を目的とする事業すべてに共通する理念と重要事項を定めた，社会福祉の最も基本的な法律で，2000（平成12）年に成立しました。社会福祉基礎構造改革[1)]を経て，大幅な法改正や制度改変が行われ，社会福祉法の制定もその一環で，戦後日本の社会福祉の大きな転換点となる法律です。

1）**社会福祉基礎構造改革**　戦後約半世紀にわたる日本の社会福祉事業等のあり方について，利用者本位のサービスや利用者の権利擁護，サービスの質の向上，社会福祉事業の透明化など，社会福祉全般にわたり法と行財政の変革が行われた。第 2 章参照。

目的（社会福祉法第１条）

（旧）社会福祉事業法（平成12年題名改正）
昭和26．3．29　法律45
最終改正　令和３年法律30

（目的）
第１条　この法律は，社会福祉を目的とする事業の全分野における共通的基本事項を定め，社会福祉を目的とする他の法律と相まつて，福祉サービスの利用者の利益の保護及び地域における社会福祉（以下「地域福祉」という。）の推進を図るとともに，社会福祉事業の公明かつ適正な実施の確保及び社会福祉を目的とする事業の健全な発達を図り，もつて社会福祉の増進に資することを目的とする。

社会福祉法第１章「総則」には，目的（第１条），社会福祉事業の定義（第２条），福祉サービスの基本的理念（第３条），地域福祉の推進（第４条），福祉サービスの提供の原則（第５条），福祉サービスの提供体制の確保等に関する国及び地方公共団体の責務（第６条）により，社会福祉を目的とするすべての事業に共通する理念や重要事項が示されています。

また，第２条をはじめとして，社会福祉を理解するために必要とされる基本的な用語の定義が定められています。

2016（平成28）年における改正では，社会福祉法人の制度改革が進められました。それまでも社会福祉法人は事業経営の透明性が求められていましたが，高い公益性と非営利性を有する法人にふさわしい経営体となるよう，経営組織の確立や経営情報の公開，事業内容や財務規律の確立が求められ，さらに地域社会への貢献も責務に加えられました。社会福祉法人経営が社会に十分理解されるよう努力が求められる時代に入ったといえます。

また，2020（令和２）年に「地域共生社会の実現のための社会福祉法等の一部を改正する法律」が成立したことにともない，2021（令和３）年に５本の法律について一括改正が行われ，地域福祉の強力な推進体制

■表３－１　社会福祉法に規定される社会福祉の基本的事項

社会福祉事業 （第２条，第60～74条）	社会福祉事業には，第１種社会福祉事業と第２種社会福祉事業とがある。このうち第１種社会福祉事業は，国，地方公共団体または社会福祉法人が経営することを原則とする。
地方社会福祉審議会 （第７～13条）	社会福祉に関する事項を調査審議するため，都道府県ならびに指定都市および中核市におかれる社会福祉に関する審議会その他の合議制の機関をいう。委員には，社会福祉事業の従事者や議員，学識経験者が任命される。
福祉事務所 （第14～17条）	都道府県および市（特別区を含む）が，条例によって福祉事務所を設置する（町村は任意で設置）。住民と直接対面して相談に応ずる業務を行う，社会福祉行政の第一線機関である。
社会福祉主事 （第18～19条）	福祉事務所に置かれ，福祉の各法律に定める援護や育成，更生の措置に関する事務を行う。
社会福祉法人 （第22～59条の３）	社会福祉事業を行うことを目的として，社会福祉法の定めるところにより設立された法人。社会福祉事業の主たる担い手として，ふさわしい事業を確実，効果的かつ適正に行うため，経営基盤の強化，提供する福祉サービスの質の向上，事業経営の透明性の確保を図らなければならない。
都道府県福祉人材センター （第93～98条）	社会福祉事業従事者の確保を図ることを目的として設立された社会福祉法人。社会福祉事業に関する啓発活動や従事者の確保に関する調査研究，従事者の研修，就業の援助等を行う。都道府県知事が都道府県ごとに１個に限り指定する。
中央福祉人材センター （第99～101条）	都道府県福祉人材センターの業務に関する啓発活動および連絡調整・援助，業務に従事する者等に対する研修等，都道府県福祉人材センターの健全な発展および社会福祉事業従事者の確保を図るために必要な業務を行う機関。厚生労働大臣により社会福祉法人全国社会福祉協議会が指定されている。
社会福祉協議会 （第109～111条）	市町村社会福祉協議会は，地域福祉の推進を図ることを目的とする団体で，社会福祉を目的とする事業の企画と実施，住民参加のための援助，社会福祉を目的とする事業に関する調査，普及，宣伝，連絡，調整及び助成などを行う。より広域的に実施することが適切な事業は，都道府県社会福祉協議会が実施する。
共同募金 （第112～124条）	都道府県の区域を単位として，毎年１回，厚生労働大臣の定める期間内に行う寄附金の募集。その区域内における地域福祉の増進を図るため，社会福祉を目的とする事業を経営する者に配分する。共同募金事業は，第１種社会福祉事業であり，これを行うことを目的として設立される共同募金会は社会福祉法人である。

が定められています。

「地域共生社会の実現のための社会福祉法等の一部を改正する法律」において
改正対象となった法律
・社会福祉法　・介護保険法　・老人福祉法
・地域における医療及び介護の総合的な確保の促進に関する法律
・社会福祉士及び介護福祉士法等の一部を改正する法律

社会福祉法については，「地域福祉の推進」（第４条）の条文には地域福祉が目指す社会像が「地域住民が相互に人格と個性を尊重し合いながら，参加し，共生する地域社会」であることが示されました。そして，「福祉サービスの提供体制の確保等に関する国及び地方公共団体の責務」（第６条）には，地域における複雑化・複合化した支援ニーズに対応して生活課題を解決することを目指して，国及び地方公共団体による包括的な支援体制の整備と，市町村による重層的支援体制整備事業の実施が定められています。重層的支援体制整備事業については，法第106条の４において目的と実施内容が示され，「重層的支援体制整備事業実施計画」の策定について努力義務化されました。

社会福祉法の成立時に比べて，地域福祉の推進について包括的支援体制による方策が具体化されてきていることがわかります。

⑵　福祉サービス利用への支援

社会福祉法制定においては，利用者本位の福祉サービス提供を進めるための方策が定められています。背景には社会福祉基礎構造改革を経て，多くの福祉サービスの利用方式が措置制度から契約制度へと移行したことがあげられます。一部の社会福祉事業においては措置制度が適用されていますが，本人の意向を尊重する利用契約制度のほうが広く適用されています。

利用契約制度のもとで，本人の意向に沿った適切な福祉サービスの利用に至るまでには，情報を得る，そのなかから適切なサービスを選ぶ，利用するための申請をして契約を行う，実際に利用する，利用の結果，期待と異なるサービスへの不満を感じれば要望を出したり変更したりする，など多くの行為の積み重ねが必要とされます。その積み重ねの実行の結果，みずからの選択によってサービスを利用する権利が保障されます。

しかし，たとえば情報を得る方法がわからなかったり，自分に適したサービスの選び方に迷ったり，判断や意思表示が難しい状況だったり，あるいはまた，サービスへの不満を感じてもそれを伝える方法がわからなかったり，などといった場合には，選択の自由を十分に行使できなくなりかねません。

福祉サービスの適切な利用（社会福祉法第75～87条）
情報の提供等
①　利用しようとする者への適切かつ円滑な情報の提供
②　利用契約の申し込み時の説明と利用契約の成立時の書面の交付
③　福祉サービスの質の向上のための措置
④　誇大広告の禁止
福祉サービスの利用の援助等
①　福祉サービス利用援助事業の実施にあたっての配慮
②　都道府県社会福祉協議会の行う福祉サービス利用援助事業等
③　社会福祉事業の経営者による苦情の解決
④　都道府県社会福祉協議会への運営適正化委員会の設置・同委員会が行う福祉サービス利用援助事業に関する助言・苦情解決の相談・あっせん・都道府県知事への通知

そこで，社会福祉法においては利用する側の権利を守るための事項が定められています。

第一に，選択のための情報が正確な内容であることや，誰にでもわかりやすく，誰でも得られるよう公平に提供されることです。

第二に，選択したり判断したりすることが難しい状況の利用者に対しては，選択することへの支援が必要です。わかりやすい言葉を選ぶことや絵や図を使うなどの工夫に加え，ICT機器の活用によって視覚や聴覚で理解しやすくするなどの工夫も考えられます。

第三に，提供されているサービスについて満足できない場合に苦情や要望を申し出て解決するための仕組みが整えられています。サービスの

■図3－1　福祉サービスに関する苦情解決の仕組みの概要図

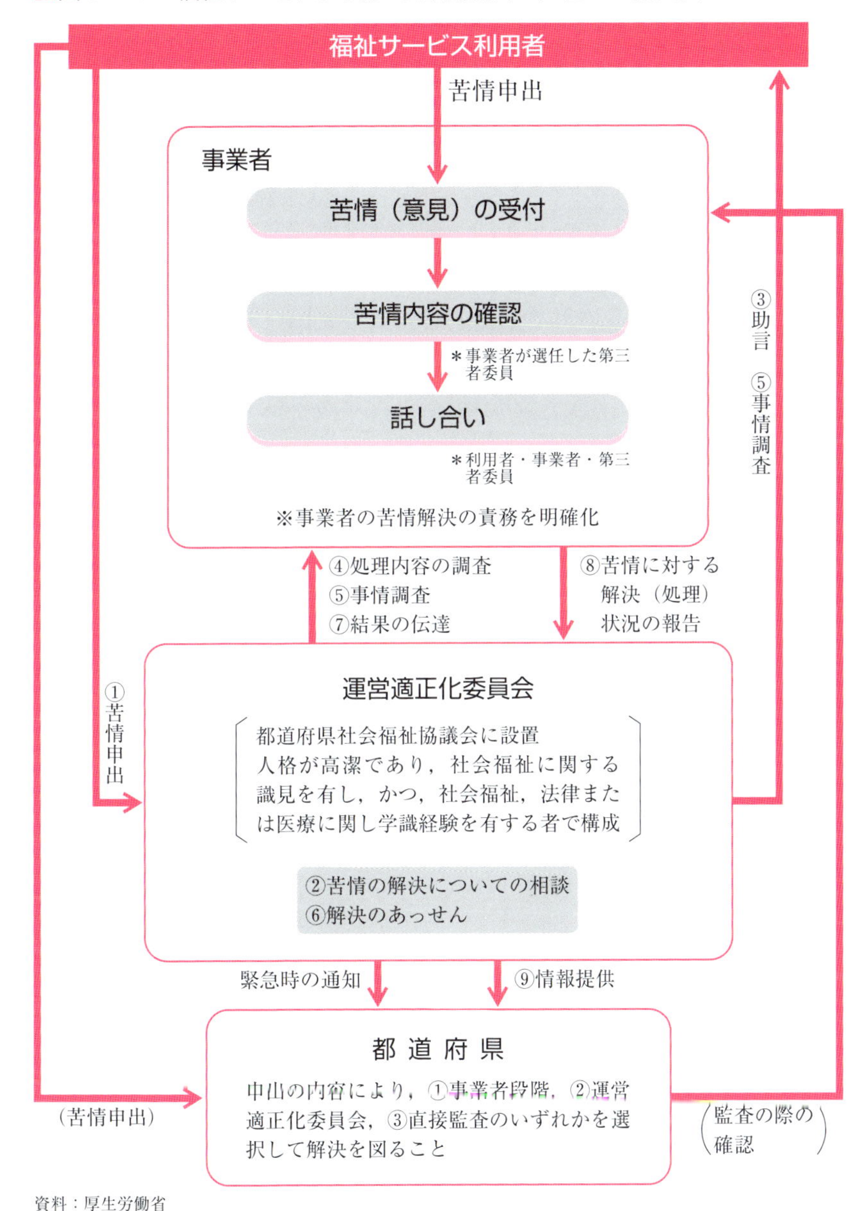

資料：厚生労働省

事業者への直接の申し出だけではなく，都道府県社会福祉協議会が「運営適正化委員会」を設置して第三者による検討が行われる場合や，都道府県による対応もあり，案件の事情等により方法が選ばれます。

サービス利用に関する権利の保障を通じて，利用者の意識も高まるだけではなく，サービス提供側の質の向上への努力もうながされます。

⑶　社会福祉士及び介護福祉士法・精神保健福祉士法

社会福祉を支える社会福祉士と介護福祉士の二つの国家資格は1988（昭和63）年に法制化されました。1998（平成10）年には精神保健福祉士の資格も加えられました。2021（令和３）年11月末現在，社会福祉士登録者は260,561人，介護福祉士登録者は1,813,445人，精神保健福祉士登録者は94,739人となっています。

2007（平成19）年には「社会福祉士及び介護福祉士法」の一部が改正され，各資格の定義や義務，資格の取得方法の見直しが行われました。

社会福祉の相談援助業務を行う社会福祉士，介護業務を行う介護福祉士，精神障害者の社会復帰の相談業務を行う精神保健福祉士の三つの専門職が国家資格とされたとはいえ，いずれも業務独占（それを得なければ相談援助業務等につくことができない）ではなく，名称独占（社会福祉士等の名称を名乗ることができない）であることも影響し，有資格者の業務内容や重要性が十分に認知されていない面もありました。しかし，しだいに，必要性が理解されるようになってきています。

各福祉士の資格取得のためには，一定の要件を満たして国家試験を受験して合格することが必要です。

社会福祉士及び介護福祉士法の改正により，国家試験受験のために大学等で履修する科目数や養成カリキュラム，履修時間数が見直されており，必要とされる知識や技能の高度化と多様化が進んでいます。

2016（平成28）年の改正では，介護福祉士資格取得方法についての見直しが行われ，介護福祉士養成施設の卒業生に対しても国家試験を課すことになりました。これについては紆余（うよ）曲折がありました。待遇改善の歩みが決して迅速でない状況で，介護福祉士として誇りをもって働こうとする人々にとって，合格による資格取得に見合う待遇改善と地位向上が進められることが重要課題です。

さらに2018（平成30）年には，社会保障審議会において「ソーシャルワーク専門職である社会福祉士に求められる役割等について」の報告書

Column　社会福祉士，介護福祉士，精神保健福祉士の定義

社会福祉士　登録を受け，社会福祉士の名称を用いて，専門的知識及び技術をもって，身体上若しくは精神上の障害があること又は環境上の理由により日常生活を営むのに支障がある者の福祉に関する相談に応じ，助言，指導，福祉サービスを提供する者又は医師その他の保健医療サービスを提供する者その他の関係者（福祉サービス関係者等）との連絡及び調整その他の援助を行うこと（相談援助）を業とする者をいう（社会福祉士及び介護福祉士法第2条第1項）。

介護福祉士　登録を受け，介護福祉士の名称を用いて，専門的知識及び技術をもって，身体上又は精神上の障害があることにより日常生活を営むのに支障がある者につき心身の状況に応じた介護（喀(かく)痰(たん)吸引その他のその者が日常生活を営むのに必要な行為であって，医師の指示の下に行われるもの（喀痰吸引等）を含む。）を行い，並びにその者及びその介護者に対して介護に関する指導を行うこと（介護等）を業とする者をいう（社会福祉士及び介護福祉士法第2条第2項）。

精神保健福祉士　登録を受け，精神保健福祉士の名称を用いて，精神障害者の保健及び福祉に関する専門的知識及び技術をもって，精神科病院その他の医療施設において精神障害の医療を受け，又は精神障害者の社会復帰の促進を図ることを目的とする施設を利用している者の地域相談支援（障害者総合支援法に規定する地域相談支援）の利用に関する相談その他の社会復帰に関する相談に応じ，助言，指導，日常生活への適応のために必要な訓練その他の援助を行うこと（相談援助）を業とする者をいう（精神保健福祉士法第2条）。

がとりまとめられました。そのなかに，地域共生社会の実現における ソーシャルワーク専門職の重要性と実践能力を備えた福祉士を養成する必要性についての提言があり，それを受けて社会福祉士養成課程ならびに精神保健福祉士養成課程における共通科目のカリキュラム改正が行われました。2021（令和３）年度入学生から適用されています。この改正では，ソーシャルワークの専門性として，地域共生社会の実現に向けて多機関協働により地域社会の課題を積極的に把握し解決する能力を前面に打ち出しています。科目名称にもソーシャルワークの用語が採用されました。現場実習の時間数も大幅に拡充されるなど，専門性を重視した養成が意図されていることがわかります。

■図３－２　社会福祉士の資格取得方法

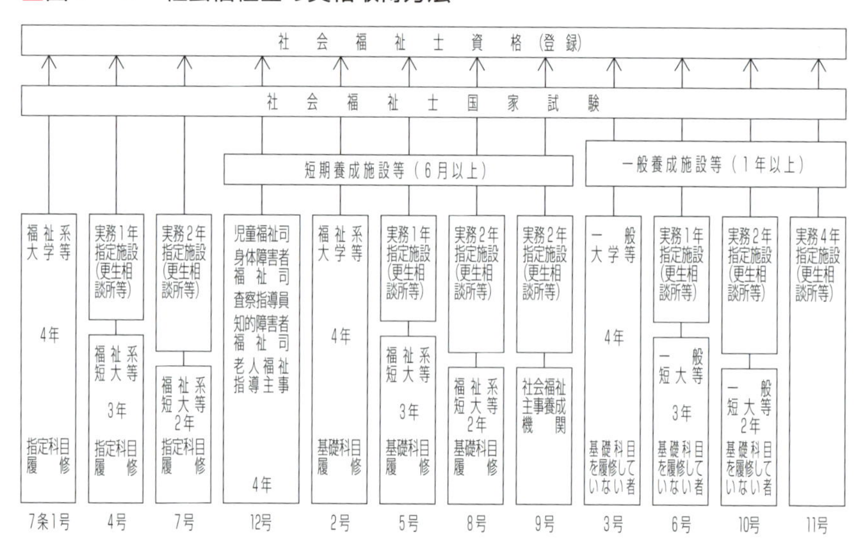

■図３－３　介護福祉士の資格取得方法

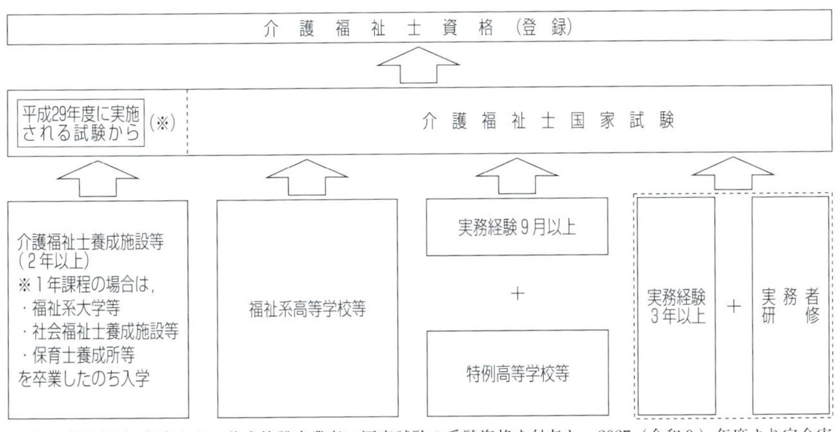

※2017（平成29）年度から，養成施設卒業者に国家試験の受験資格を付与し，2027（令和９）年度より完全実施される予定である。

■図３－４　精神保健福祉士の資格取得方法

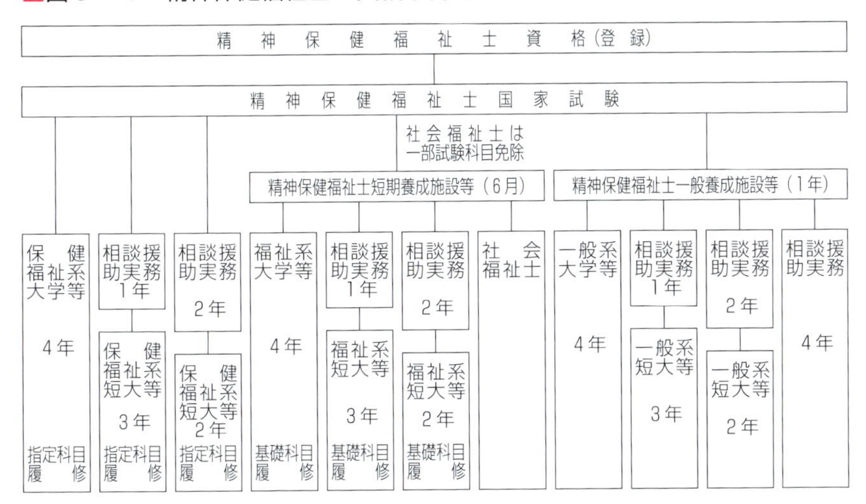

(4)　社会福祉法制の動向

21世紀初頭の改革を中心とする社会福祉法制の動向を概観すると，次の３点を特徴としてあげることができます。第一に，社会福祉法をはじめとして，介護保険法，障害者の日常生活及び社会生活を総合的に支援するための法律（障害者総合支援法），子ども・子育て関連三法[2]に代表されるように，福祉の推進に直結する法律制定が強力に進められていることです。

第二に，弱い立場になりやすい人々の虐待防止と権利擁護に関する法

■図３－５　援助の範囲からみた成年後見制度と日常生活自立支援事業の守備範囲

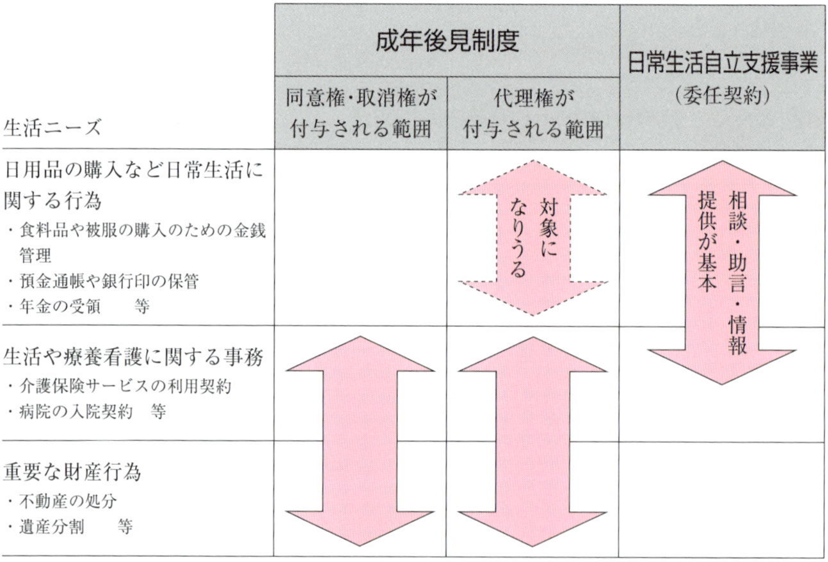

生活ニーズ	成年後見制度 同意権･取消権が付与される範囲	成年後見制度 代理権が付与される範囲	日常生活自立支援事業（委任契約）
日用品の購入など日常生活に関する行為 ・食料品や被服の購入のための金銭管理 ・預金通帳や銀行印の保管 ・年金の受領　　等		対象になりうる	相談・助言・情報提供が基本
生活や療養看護に関する事務 ・介護保険サービスの利用契約 ・病院の入院契約　等	↕	↕	（相談・助言・情報提供が基本）
重要な財産行為 ・不動産の処分 ・遺産分割　　等	↕	↕	

資料：東京都社会福祉協議会作成
出典：東京都社会福祉協議会編『地域福祉権利擁護事業〈日常生活自立支援事業〉とは…――制度を理解するために〈改訂第２版追補〉』東京都社会福祉協議会，2013年（p.17より一部修正）

2）子ども・子育て関連三法　「子ども・子育て支援法」「就学前の子どもに関する教育，保育等の総合的な提供の推進に関する法律の一部を改正する法律」と，これらの法律の施行に伴う関係法の整備を示す「子ども・子育て支援法及び就学前の子どもに関する教育，保育等の総合的な提供の推進に関する法律の一部を改正する法律の施行に伴う関係法律の整備等に関する法律」の三法である。

律が定められたことです。虐待防止に関するものでは，児童虐待の防止等に関する法律（児童虐待防止法）（2000（平成12）年），配偶者からの暴力の防止及び被害者の保護等に関する法律（DV防止法）（2001（平成13）年），高齢者虐待の防止，高齢者の養護者に対する支援等に関する法律（高齢者虐待防止法）（2005（平成17）年），そして，障害者虐待の防止，障害者の養護者に対する支援等に関する法律（障害者虐待防止法）（2011（平成23）年）です。これらの法律には発見者の通報義務が定められ，虐待や暴力を拡大させない国民の意識を高めることにつながっています。権利擁護については，成年後見関連四法[3)]（1999（平成11）年）の施行があります。

第三に，身近な環境の改善や市民参加の推進を通じて，障がいや高齢が不利にならず，誰もが生活しやすい社会づくりを進める法律が生まれたことです。特定非営利活動促進法（NPO法）（1998（平成10）年），高齢者，障害者等の移動等の円滑化の促進に関する法律（バリアフリー新法）（2006（平成18）年）などをあげることができます。

こうした動向が基盤となって，子ども，障がい者，高齢者などの縦割りの分野別福祉のそれぞれの充実だけではなく，全世代にわたり人間の生涯を通じて切れ目のない福祉の保障や地域における共生を保障する視点に立って社会福祉を発展させる方向に向かっていることはたいへん重要です。

21世紀を迎え，社会福祉を含む社会保障制度改革が進められ，厚生労働省の「新たな福祉サービスのシステム等のあり方検討プロジェクトチーム」の設置（2015（平成27）年）以降，「地域共生社会」の実現が日本の新たな時代に対応するビジョンとして明確にされ，政策立案に盛り込まれてきました。

3）**成年後見関連四法**　「民法の一部を改正する法律」「任意後見契約に関する法律」「民法の一部を改正する法律の施行に伴う関係法律の整備等に関する法律」「後見登記等に関する法律」の四法である。

「地域共生社会の実現のための社会福祉法等の一部を改正する法律」が2020（令和２）年に成立し，地域において複雑化・複合化している支援のニーズに対応するための包括的な提供体制を整備するなど，福祉サービスが有効に機能する地域社会づくりに向けて動き出しています。

つまり，福祉に関連する法律が一定の水準まで整備されてきた段階では，それらが単体としてではなく，地域社会という基盤において機能するための包括性，総合性が必要とされ，また，それを実現するための専門職養成も，たとえば，前項で説明したような社会福祉士及び介護福祉士法の改正などに示されているということができます。

社会福祉法制が暮らしやすい社会づくりに向かっていることは，その実効性をどのように確立させていくかという新たな課題への取組みの始まりです。

2　社会福祉の行政機関

社会福祉行政は，国，都道府県，市町村において行われます。

国の社会福祉行政を担当するのは厚生労働省です。厚生労働大臣のもとで，厚生労働行政の方向性を定めるため専門的な立場で審議し，大臣の諮問に対する答申や意見具申を行うのが社会保障審議会の役割です。

実際に社会福祉行政を担当する内部部局は，社会・援護局の各課と障害保健福祉部，雇用環境・均等局，子ども家庭局，そして老健局です。他にも，関連する行政を扱う部署として，健康局，職業安定局，年金局などがあります。

これらの部局では，児童，障がい者，高齢者などそれぞれの部門の社会福祉の企画立案や事業計画などの業務をはじめ，社会福祉士・介護福祉士に関する業務など，いわば，国の社会福祉の骨格をつくり，それを円滑に推進していくための業務全般を扱っています。

地方公共団体における社会福祉行政の責任者は，都道府県知事や市町

■図３－６　社会福祉の実施体制の概要

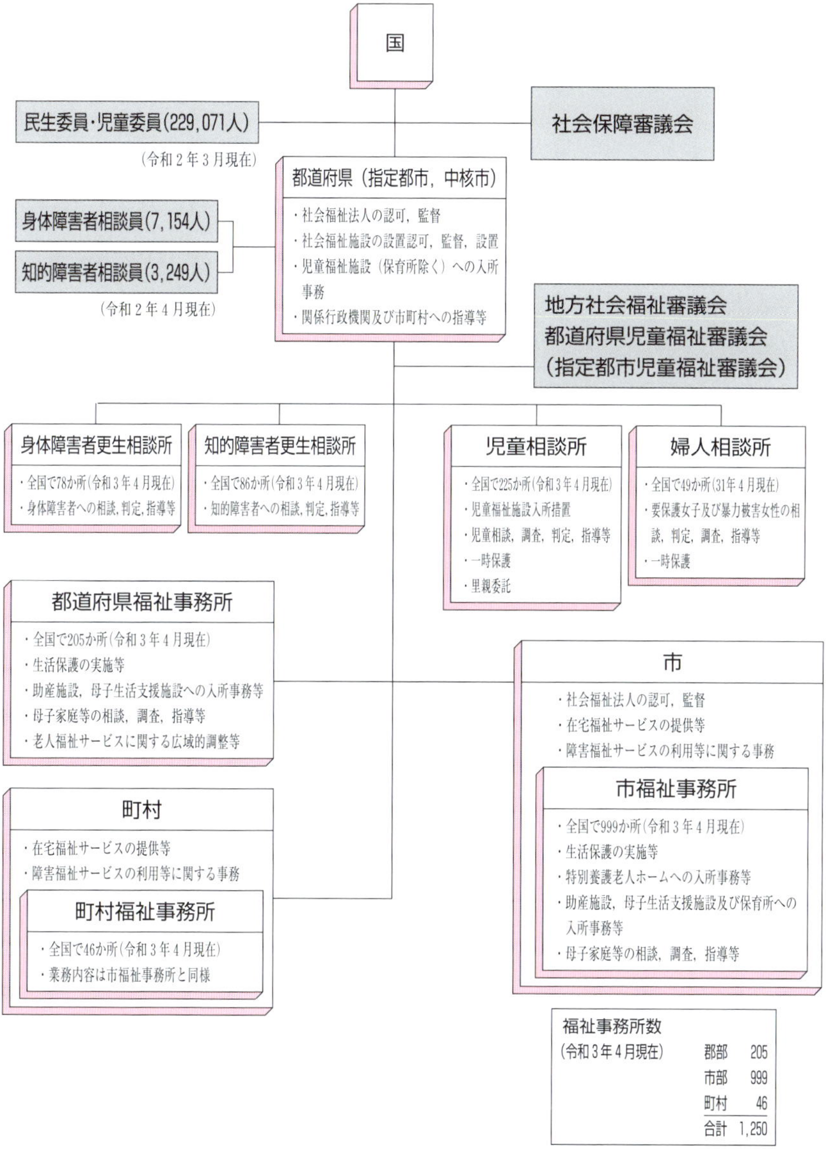

国

民生委員・児童委員（229,071人）
（令和２年３月現在）

社会保障審議会

都道府県（指定都市，中核市）
・社会福祉法人の認可，監督
・社会福祉施設の設置認可，監督，設置
・児童福祉施設（保育所除く）への入所事務
・関係行政機関及び市町村への指導等

身体障害者相談員（7,154人）
知的障害者相談員（3,249人）
（令和２年４月現在）

地方社会福祉審議会
都道府県児童福祉審議会
（指定都市児童福祉審議会）

身体障害者更生相談所
・全国で78か所（令和３年４月現在）
・身体障害者への相談，判定，指導等

知的障害者更生相談所
・全国で86か所（令和３年４月現在）
・知的障害者への相談，判定，指導等

児童相談所
・全国で225か所（令和３年４月現在）
・児童福祉施設入所措置
・児童相談，調査，判定，指導等
・一時保護
・里親委託

婦人相談所
・全国で49か所（31年４月現在）
・要保護女子及び暴力被害女性の相談，判定，調査，指導等
・一時保護

都道府県福祉事務所
・全国で205か所（令和３年４月現在）
・生活保護の実施等
・助産施設，母子生活支援施設への入所事務等
・母子家庭等の相談，調査，指導等
・老人福祉サービスに関する広域的調整等

市
・社会福祉法人の認可，監督
・在宅福祉サービスの提供等
・障害福祉サービスの利用等に関する事務

市福祉事務所
・全国で999か所（令和３年４月現在）
・生活保護の実施等
・特別養護老人ホームへの入所事務等
・助産施設，母子生活支援施設及び保育所への入所事務等
・母子家庭等の相談，調査，指導等

町村
・在宅福祉サービスの提供等
・障害福祉サービスの利用等に関する事務

町村福祉事務所
・全国で46か所（令和３年４月現在）
・業務内容は市福祉事務所と同様

福祉事務所数
（令和３年４月現在）

郡部	205
市部	999
町村	46
合計	1,250

出典：厚生労働省編『厚生労働白書 令和３年版（資料編）』2021年（p.194）

村長です。また行政部署の名称は，民生部，福祉部，生活福祉部など，さまざまです。社会福祉行政の第一線機関として，福祉六法に定める措置をつかさどるのは福祉事務所です。

1990（平成２）年の福祉関係八法改正[4)]以降，社会福祉行政上の責任と権限は，市町村が多くを受けもっています。国と地方公共団体が対等な関係で対話し，新たなパートナーシップを築くとともに，地域住民主体の地域のあり方を重視する視点から，地域主権戦略大綱（2010（平成22）年閣議決定）が示されました。これを受けて，地域の実情に合わせて福祉の推進ができるよう，2011（平成23）年から2021（令和３）年にかけて「地域の自主性及び自立性を高めるための改革の推進を図るための関係法律の整備に関する法律」（いわゆる地方分権一括法）が整備され，介護保険法，老人福祉法等の改正が行われ，施設，事業所やサービスの基準等を一部，都道府県や市町村が決められるようになりました。

3 社会福祉の財政

社会福祉の財源は，「社会保障関係費」として国が歳出する部分と，地方公共団体が住民税などをもとに民生費として歳出する部分，国庫補助金，そして利用者からの費用徴収などによってまかなわれています。他に共同募金に代表される民間からの寄付も重要な役割を果たしています。

2020（令和２）年度の国の一般会計予算（当初）における歳出額は約102.7兆円で，そのうち社会保障関係費は，35兆8608億円となっており，国の予算の34.9％を占め，税収が落ち込むなか，国庫負担は増加を続け

4）**福祉関係八法改正**　社会福祉をめぐる情勢の変化に対応した福祉改革を実行するため，厚生省（当時）は1989（平成元）年４月以降，法律改正作業を行った。その結果，1990（平成２）年４月に関係八法が改正された。八法とは，福祉六法のうち生活保護法を除く五法と，社会福祉事業法（現・社会福祉法），老人保健法（現・高齢者の医療の確保に関する法律），社会福祉・医療事業団法（現・独立行政法人福祉医療機構法）である。

■図３－７　一般会計算出予算の構成割合（2020（令和２）年度当初）

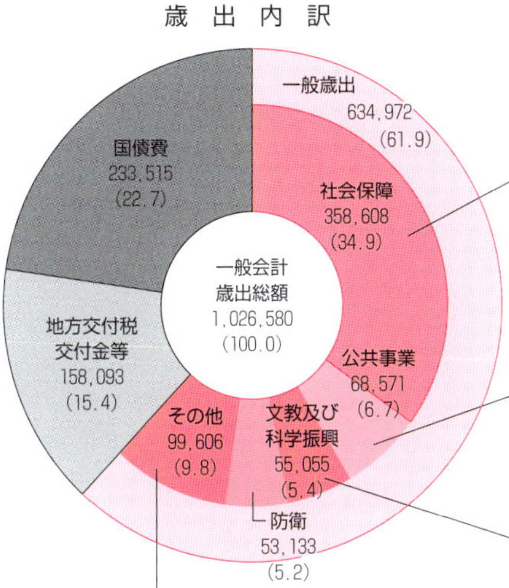

歳　出　内　訳

（単位：億円，％）

一般会計歳出総額
1,026,580
(100.0)

一般歳出
634,972
(61.9)

社会保障
358,608
(34.9)

公共事業
68,571
(6.7)

文教及び科学振興
55,055
(5.4)

防衛
53,133
(5.2)

その他
99,606
(9.8)

地方交付税交付金等
158,093
(15.4)

国債費
233,515
(22.7)

項目	金額	（％）
年金	125,232	(12.2)
医療	121,546	(11.8)
介護	33,838	(3.3)
少子化対策	30,387	(3.0)
生活扶助等社会福祉	42,027	(4.1)
保健衛生	5,184	(0.5)
雇用労災	395	(0.0)

項目	金額	（％）
住宅都市環境	6,947	(0.7)
道路整備	17,819	(1.7)
治山治水	11,375	(1.1)
公園水道廃棄物処理	1,372	(0.1)
農林水産基盤	6,926	(0.7)
港湾空港鉄道	4,584	(0.4)
社会資本総合整備	18,015	(1.8)
推進費等	781	(0.1)
災害復旧等	752	(0.1)

項目	金額	（％）
教育振興	23,768	(2.3)
義務教育	15,221	(1.5)
科学技術振興	13,639	(1.3)
育英事業	1,176	(0.1)
文教施設	1,250	(0.1)

項目	金額	（％）
恩給	1,750	(0.2)
経済協力	5,123	(0.5)
食料安定供給	9,840	(1.0)
エネルギー対策	9,495	(0.9)
中小企業対策	1,753	(0.2)
その他の経費	66,645	(6.5)
予備費	5,000	(0.5)

注１：計数は，それぞれ四捨五入によっているので，端数において合計とは合致しないものがある。
注２：臨時・特別の措置を除いた通常分の予算額を記した。
資料：財務省「令和２年度 財政法第46条に基づく国民への財政報告」をもとに作成
出典：社会保障入門編集委員会編『社会保障入門 2021』中央法規出版，2021年（p.187）

ています。社会保障関係費とは，年金給付費，医療給付費，介護給付費，少子化対策費，生活扶助等社会福祉費，保健衛生対策費，雇用労災対策費です。社会保障関係費のうちで「年金給付費」「医療給付費」「介護給付費」が78.3％を占めており，社会福祉施設整備費などの「生活扶助等社会福祉費」は11.7％です。

地方財政において社会福祉行政の推進に要する経費は「民生費」と呼ばれます。2019（令和元）年度の民生費決算額は26兆5337億円となっており，歳出総額で最も大きな割合を占めています。高齢者中心から児童福祉，子育て支援等へと重点が移行していることを反映し，「児童福祉費」が34.7％と「老人福祉費」（24.1％）を上回っています。

■図３－８　民生費の目的別歳出の推移

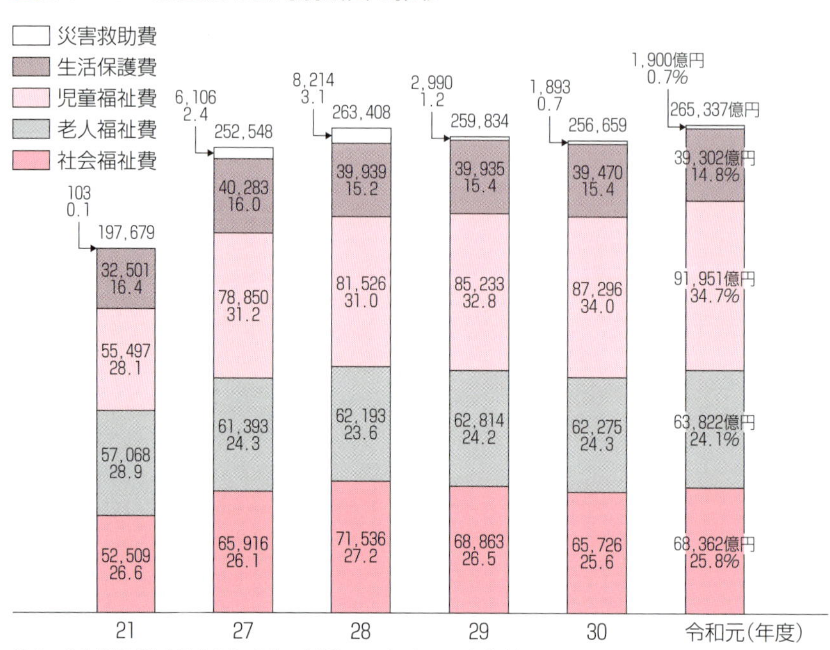

出典：総務省編『地方財政白書 令和３年版』2021年（p.60より作成）

国と地方の費用負担の割合は，事業ごとに定められていますが，財政難を背景に1985（昭和60）年以降は国の負担割合が引き下げられる傾向にあり，地方財政への負担が増大しています。

利用者ならびに扶養義務者の費用負担のあり方も，社会福祉基礎構造改革を経て措置制度から契約制度へと転換された際には，**応益負担**[5)]の考え方が強められました。つまり，利用者の所得に基づく**応能負担**[6)]の考え方だけでなく，サービス利用量の多い利用者には，より高額な費用負担を求める方法が拡大されたのです。

5）**応益負担**　社会福祉サービスの利用量に応じて負担する費用を算定する方法。サービス利用量が多いほど負担額が高くなるため，サービスの必要量が多い利用者は経済的負担が重くなるという課題がある。

6）**応能負担**　社会福祉サービス利用者の支払い能力に応じて負担する費用を算定する方法。利用者の経済的負担感の軽重が，必要なサービス利用に影響を及ぼすという課題がある。

利用量に応じた費用負担は，一見，公平な印象があります。しかし，実際は所得の低い利用者のサービス利用が制約される場合があり，必ずしも必要なサービスを十分に利用できるとは限りません。公平感のある費用負担の方法を考えることはたやすいことではありませんが，利用者の権利保護に直結する大事な問題です。必要なサービスを適切な費用負担で利用できるという安心感のある制度設計が求められると同時に，必要なサービスを自律的に選択できる市民性の成熟や選択への支援が重要となります。

第４章　ソーシャルワークの理解

Point

- ◆ソーシャルワークの役割は人々とその環境の接点で生活のしづらさに直面している人々に対し，人々が環境と相互作用する接点への介入を通じて，その人らしい人生を生きられるように支援し，必要であれば社会変革への働きかけをしていくことです。
- ◆ソーシャルワークを行う専門職が，ソーシャルワーカーです。ソーシャルワーカーは支援を必要とする人との間に「援助関係」という専門的信頼関係を築き，社会資源を活用しながら援助を進めます。
- ◆日本では国家資格である社会福祉士や精神保健福祉士を有する人がソーシャルワーカーを名乗り業務を行うことができます。日本のソーシャルワーカーについて近年の方向性を理解しておきましょう。
- ◆この章では，ソーシャルワークの基本を学習し，その意義や歴史，専門性について，2014（平成26）年に採択された「ソーシャルワーク専門職のグローバル定義」を手がかりに学びましょう。

1　ソーシャルワークとソーシャルワーカー

(1)　ソーシャルワークの定義

ソーシャルワークは相談援助を基本とする幅広い支援を意味しています。日本では，「相談」が専門的な支援であるということは想像しづらいかもしれません。

「国際ソーシャルワーカー連盟」(IFSW）は，2000年に示した定義に改訂を加え，2014年，「国際ソーシャルワーク学校連盟」（IASSW）との合同会議で「ソーシャルワーク専門職のグローバル定義」を採択しました。

1958年，1973年の全米ソーシャルワーカー協会による定義，2000年の国際ソーシャルワーカー連盟による定義を経て，国際的な合意に基づく定義へと至りました。

「グローバル定義」では，社会変革や社会開発，社会的結束への積極的な関与が表明され，一人の人間に対する支援には，地域社会や社会全体の変革につながる意味が込められています。

ソーシャルワーク専門職のグローバル定義
（Global Definition of The Social Work Profession）
ソーシャルワークは，社会変革と社会開発，社会的結束，および人々のエンパワメントと解放を促進する，実践に基づいた専門職であり学問である。社会正義，人権，集団的責任，および多様性尊重の諸原理は，ソーシャルワークの中核をなす。ソーシャルワークの理論，社会科学，人文学および地域・民族固有の知を基盤として，ソーシャルワークは，生活課題に取り組みウェルビーイングを高めるよう，人々やさまざまな構造に働きかける。
この定義は，各国および世界の各地域で展開してもよい。

そして，「中核となる任務」として「ソーシャルワークは，相互に結び付いた歴史的・社会経済的・文化的・空間的・政治的・個人的要素が人々のウェルビーイングと発展にとってチャンスにも障壁にもなることを認識している，実践に基づいた専門職であり学問」であると述べ，不利な立場にある人々と連携し，貧困の軽減，脆弱で抑圧された人々のエンパワメント[1)]と解放，そして社会的包摂と社会的結束を促進すべく努力する専門職であるという責務の所在を明確にしています。

⑵　ソーシャルワークの役割と機能

ソーシャルワークの役割は，人間らしく生きたいと願う人が直面している課題を，人間と社会環境との相互の接触面に生起することととらえ，援助関係を築きつつ相談を進め，意図的な介入を通じて利用者の力

1）**エンパワメント**　抑圧された個人や集団が自らの権利意識のもとで自己決定，自己実現し，みずからの権利を回復することを意味する。ソーシャルワーカーは，人々がみずからの力で権利を回復していこうとする過程を援助する役割を有する。

を引き出しながら，解決に必要とされる幅広い支援を組み立て，その実践を通じて社会全体の改善をも図ることを目指すことです。

ソーシャルワークの基本的な機能は，生活上の課題に直面する人々と環境との接点への介入による課題解決への支援です。現在ではソーシャルワークが必要とされる範囲が拡大し，問題も複雑化・専門分化しています。

日本では，社会福祉基礎構造改革以降の契約制度によるサービス利用の導入にともない，期待される役割も変化しています。ソーシャルワーカーは，利用者が何を解決したいと望んでいるかを的確に把握して，サービス利用が有効であれば，利用者の意思で複数の選択肢から適切なものを選び，契約し，サービスを利用するまでの自己決定の過程を支援します。利用者が正しい情報を得られるよう助けるなど，納得して選択できるように支援し，自らの生活に対して能動的に向き合う力を高めます。

利用者の判断能力が不十分な場合には，選択を支える機能や不利益にならないよう権利を守る権利擁護（アドボカシー）機能が必要です。

また，複雑化して解決困難な事例では，既存の制度やサービスが必ずしも適合しない場合も多く，近隣住民やボランティアなど，制度以外のインフォーマルな社会資源を積極的に活用して問題解決を促進します。

援助を必要とする人々が地域社会の生活基盤である小地域で生活しやすくなるよう，地域社会すなわち環境に働きかける機能や，さらには地域住民が主体的に支援者となり，地域社会の向上のため活動できるよう促進する機能が必要です。小地域の変容をうながすにはグループを活用した支援（グループワーク）が有効な場合が多く，必要に応じてそうした支援方法も取り入れます。

さらに，解決困難な問題に対しては，必要と思われる制度改革や新しいサービスの構築などを提言していく機能や，そのための運動（ソーシャルアクション）の機能も含まれます。

グローバル定義において,「社会変革・社会開発・社会的結束の促進」がソーシャルワーク専門職の中核となる任務であると示したことを思い返し,ソーシャルワークが,個人を対象とする相談援助にとどまらない,社会変革へとふみこむ支援を通じて,より良い個人の生活と社会の進展を生み出すダイナミックな実践であることを理解しましょう。

(3) ソーシャルワークの構成要素

ソーシャルワークの構成要素は,価値,知識,技術ならびに目的と権限の委任です。

人間の尊厳と権利の尊重と社会正義が価値の根底をなしています。この価値を基盤として,人間と環境の関係を理解するための多様な知識があります。これは,社会科学,自然科学など諸科学の幅広い知識や,人間理解を深めるために役立つあらゆる分野への関心に基づく知識を意味しています。そして,それらのうえに人々に変容と成長をうながす介入の技能や技法を含む技術が活用されていくことになります。価値,知識,技術を根底として,個々人におけるより良い生活やコミュニティ・社会の構築などの目的に向けて援助活動が展開されます。

権限の委任とは,ソーシャルワークの実施主体である国や地方公共団体のような,公的な機関や職能団体などによる承認を意味します。つまり,ソーシャルワーカーは社会に承認された存在であり,個々人の生活や内面に介入する権限を与えられた専門職なのです。

(4) ソーシャルワーク専門職の任務

グローバル定義において,ソーシャルワーク専門職の中核となる任務は「社会変革・社会開発・社会的結束の促進」であり,「人々のエンパワメントと解放」であると明記されました。つまり,実践者である「ソーシャルワーカー」は,人々のエンパワメントと解放を目指して「構造的・個人的障壁の問題に取り組む行動戦略」を立て,不利な立場にある人々と連携し,社会的包摂と社会的結束を促進する努力を行います。

ソーシャルワーカーは専門的な能力を駆使し,**支援を必要とする人々**[2)]

の話に耳を傾け，困難な状況を把握し，解決に向けて本人および環境に対し，良い方向への変化を引き起こす介入を行います。介入といっても，相手をコントロールするのではなく，その人がみずからの変容を生み出す力を引き出す過程にかかわるという意味です。

本人が自発的に希望を表明し，人生への展望をもって自己決定でき，みずから行動できるようになることが大切です。そして，一定の目標に達したら，援助に対する評価を行い，援助の効果や次の展開について考慮することも，専門職の重要な役割です。

(5)　日本のソーシャルワーカー

ソーシャルワーカーは社会福祉や医療，学校など，さまざまな場で生活上の困りごとの相談に応じています。高齢者や障がい者の福祉，子どもや家族の課題など，複雑化している現代社会で相談支援を行います。社会福祉士の国家資格を有していないと，社会福祉士を名乗ることはできませんが，一般に相談員，生活相談員などの名称で相談への対応を行っています。

さらに，医療にかかわる生活課題に対応する医療ソーシャルワーク，学校で子どもと家族の課題に対応するスクールソーシャルワーク，司法の立場で行政や福祉と連携して解決に働きかける司法ソーシャルワーク，罪を償い地域社会の一員としての生活を取り戻す支援を行う更生保護など，ソーシャルワークが活用される場面は多様化し，ソーシャルワーカーへの期待も高まっています。

また，社会の急激な変化の影響で生活課題が複雑化し，法律や制度も増えていることなどを背景に，多職種連携によって異なる専門分野を横断した対応が重視されています。

2）**支援を必要とする人々**　「ケース」「クライエント」「利用者」などの呼び方がある。ケースというと事例として扱うことを示し，クライエントというと支援を必要とする人という意味に加え，治療の対象といった印象が強くなる。利用者は今日，福祉の現場で一般的に用いられている。相談援助サービスも含むサービスの利用者を示す意味合いが強くなる。

ソーシャルワークならびにソーシャルワーカーの役割について十分に認知されるようになることは，地域共生社会を目指す日本の社会福祉の発展に不可欠といえましょう。

2 ソーシャルワークの変遷

(1) ソーシャルワークの形成過程

ソーシャルワークは19世紀後半期，欧米において産業革命からもたらされた生活上の諸問題を解決するための活動のなかから発展し，20世紀に体系化されました。

リッチモンド（Richmond, M.）は1889年にボルティモア慈善組織協会（COS）の職員となり，友愛訪問に従事しながら，その専門化の必要性を痛感しました。やがてCOSの友愛訪問におけるケース記録をもとにケースワークの知識や方法を『社会診断』（1917年）に著し，「ケースワークの母」と呼ばれています。

他方，COSの活動において，地域組織化の実践がコミュニティ・オーガニゼーションとして，また，セツルメント活動がグループワークとして発展しました。

1950年代には，パールマン（Perlman, H.）がソーシャル・ケースワークをソーシャルワーカーとクライエントの関係において行われる問題解決の過程であると整理して『ソーシャル・ケースワーク——問題解決の過程』を著し，ケースワークの構成要素を「四つのP[3]」として説明しました。

20世紀後半には多様なソーシャルワーク理論が形成されました。困難の状況をどう把握するか，解決に向けたより有効な働きかけはどのようなものか，それはいかなる価値や考え方に基づくものかなどをめぐっ

3）四つのP　人（Person），問題（Problem），場所（Place），過程（Process）の四つ。

て，他の学問分野から影響を受けました。地域や時代の生み出す問題への対応の必要性が強まったこととも関連して，理論的発展をみましたが，一方では，1960年代はさまざまな理論が乱立した時代ともいわれています。

そうした状況に対し，一体的で総合的な援助のあり方が重視されるようになりました。

⑵　ジェネラリスト・ソーシャルワークへの展開

20世紀後半期，1960～70年代のアメリカでは，ベトナム戦争や貧困の再発見[4]などの混迷した社会情勢を受け，個人の生活上の問題も複雑化していました。ケースワーク，グループワーク，コミュニティ・オーガニゼーションの三つの方法がそれぞれの流れを汲んで発展してきたのですが，それらの専門分化が過度に進みました。その結果，各自の働く機関に特有の専門知識や技能だけに特化した専門家が増え，ソーシャルワークの存在意義が問われるようになったのです。このためソーシャルワークの統合化を図り，多様な方法を統合して幅広い人々への支援ができるソーシャルワーカーが必要だと考えられるようになりました。

1974年，全米ソーシャルワーク教育協議会は，大学で身につける実践アプローチをジェネラリスト・アプローチとすることを承認しました。これは，ニーズを包括的，全人的な視点から把握し，対象に応じた援助を計画，実施し，評価することを目指すもので，多様な実践現場で応用が可能な方法とされました。三つの方法の共通基盤を確立させ，再構築するという考え方に立脚するものでした。

1970年代に入ると，ソーシャルワークはシステム理論[5]の影響を強く受

4）**貧困の再発見**　ハリントン（Harrington, M.）が『もう一つのアメリカ』（1963年）のなかで，経済的繁栄の陰に失業や人種差別などによる膨大な貧困が存在していることを指摘し，これが貧困の再発見とされた。

5）**システム理論**　人工物から生物，生命のような自然現象，社会集団などすべての現象をシステムとしてとらえて説明する。1950年代後半には，自然科学，社会科学の領域だけでなく経営理論や心理学などに幅広く影響を与えた。

けました。人間を最小のシステムとし，所属のグループやコミュニティに内包されているととらえることによって，システムの変動とかかわりながら変動し続ける状況にある人間，環境のなかの人間という視点をソーシャルワークに提供しました。

さらに，1980年代にはエコロジカル・ソーシャルワークが強い影響力をもちました。人間を「場に存在する人間」あるいは「環境のなかの人間」としてとらえて，いわば人間と環境との接点，あるいは両者の相互作用に着目して支援を組み立てるというものです。

これらの流れのなかから，1990年代には本格的にジェネラリスト・ソーシャルワークへの展開がみられるようになりました。

ジェネラリスト・ソーシャルワークでは，「人と環境の相互作用」に着目し，それにかかわる広範な領域を構造的に理解することによって，ソーシャルワーカーはより多様な役割を担って，援助を展開していきます。人間を一個人としてばかりではなく，地域社会を構成する要素あるいはシステムとしてとらえ，地域社会との相互作用にも目を向けて支援を行うことを特徴としています。

日本においても，地域福祉を主眼とする現代では，福祉施設のなかで支援が行われていた時代に比べ，多数の人が地域で生活できるようになりました。しかし，地域での社会生活を円滑におくるためには，多方面にわたるさまざまな課題があります。このため，個々人のニーズの把握や支援計画のあり方も変化を求められています。個々人が地域で暮らしていけるような地域社会での関係調整や，利用できる社会資源の活用と開発，地域社会への働きかけ，福祉施設であればそれが地域社会の拠点となるための諸活動までも必要とされることから，ジェネラリスト・ソーシャルワークの視点での支援を学習する重要性は高まっています。

なお，社会の不平等や不公正との闘い，あるいは個人の生活の社会的制約や背景に着目して社会や政治の変革を志向する「クリティカル・ソーシャルワーク」は，イギリス・カナダなどで広がりを見せ，日本でも個人の問題をより多角的に把握する方法として注目されています。

⑶　ジェネラリスト・ソーシャルワークの意義と特徴

ジェネラリスト・ソーシャルワークでは，ソーシャルワークの共通基盤のもとで，実践において，統合的に援助が展開されることを特徴としています。個人，グループ，コミュニティは，いわばサイズの異なるシステムです。ジェネラリスト・ソーシャルワークでは，個人は常に複数のシステムとの相互作用において生活しているという視点に立ち，より良い作用をうながすよう複数のシステムのいずれかの局面をとらえて介入していきます。

もう一つの特徴は，利用者主体という考え方にあります。ソーシャルワークを学ぶときに，「問題解決」という表現をしばしば用いますが，誰が解決するのかというと，ソーシャルワーカーではありません。ソーシャルワーカーの役割は，自助努力では解決できない問題に直面している人々が，より良い生活に向かってその人がみずから努力していけるよう援助するエンパワメントです。ソーシャルワーカーは，利用者に代わって問題を解決するわけでも，利用者に「こうしなさい」と指示をするわけでもありません。

ソーシャルワーカーは「利用者自身が問題解決できるようにするには専門職としてどうすればよいか」という視点から支援を考えます。利用者自身が自己肯定感を強め，みずから現実を直視して支援の過程に参加，参画し，ケア計画を立てて解決に取り組んでいくことにこそ価値があります。したがって，利用者の力を引き出していくための「エンパワメント」や「ストレングス」の概念が鍵(かぎ)となります。

ジェネラリスト・ソーシャルワークの展開過程は，問題解決過程というよりも，むしろ支援を通じた人間の変容，成長の促進過程ということができるでしょう。

3 ソーシャルワークの展開過程

ソーシャルワークの展開過程は，生活上の課題つまりニーズを満たして問題を解決していくプロセスです。ジェネラリスト・ソーシャルワークの視点では，価値，知識，技術を基盤として人と環境の相互作用に介入することを通じた変化のプロセスを意味しています。そのプロセス

■図４－１　ソーシャルワークの展開過程

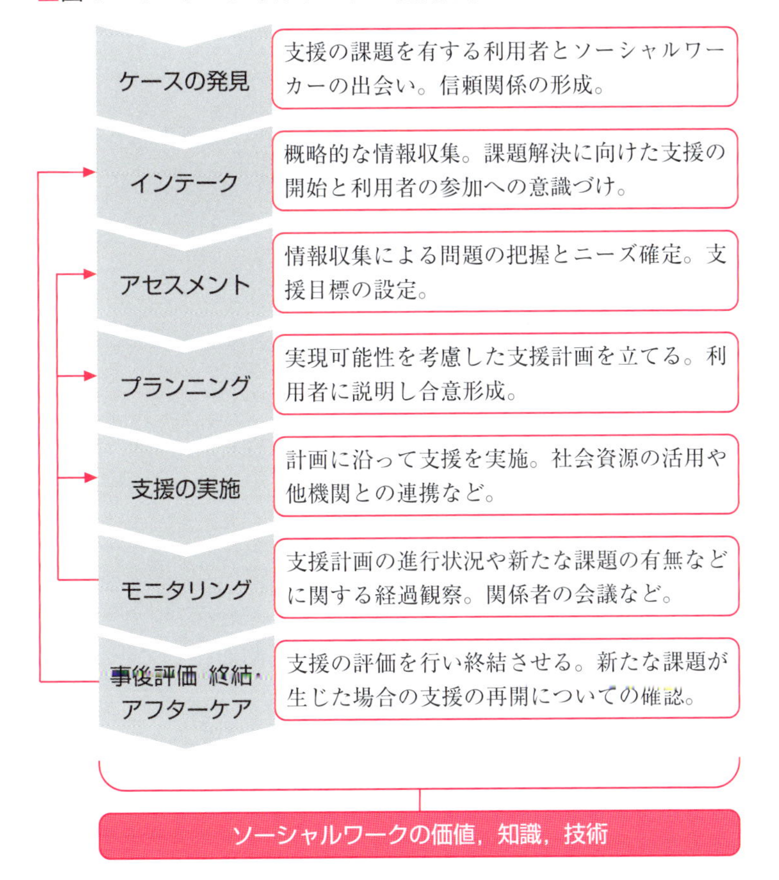

は，ケースの発見，インテーク，アセスメント，プランニング，支援の実施，モニタリング，事後評価・終結・アフターケアを主な要素として展開されていきます。

(1)　ケースの発見

支援の必要性が発見されるには，みずから相談に訪れる，家族が相談に訪れる，他の機関から紹介または送致されてくる，電話相談やインターネットを利用したメール相談が入るなどの場合があります。

利用者に，相談したい，解決したいという自発的な気持ちが芽生えている場合は，相談支援の過程に入りやすい状況にありますが，それが見られない場合には，ソーシャルワーカーが課題への気づきをうながすかかわりをする必要があります。

(2)　インテーク

面接を通じて，主訴を明確化します。しかし，相談に訪れた利用者が課題と感じている内容と，解決すべき課題とが一致しない場合がしばしばあります。ソーシャルワーカーは，それを十分に区別しながら，利用者が感じている状況の奥に隠された背景にも気づき，全体像を把握します。

そのうえで，ソーシャルワーカーが在籍する機関がどのような支援を提供できるかを説明して，支援を活用しながら問題解決に向かって協働していくかどうかの意思確認を行います。

(3)　アセスメント

プランニングに先立つもので，面接や観察，調査などによる情報の収集によって，個人，家族，小集団，機関，コミュニティに関する理解を進めます。人々と社会システムの相互作用を個別化して把握する過程で，支援の基礎となる理解を図るための情報収集と分析を行い，生活状況における課題，支援の障がい，支援の展開過程で活用できる環境や社会資源の状況を明らかにし，判断する過程です。

⑷　プランニング

アセスメントと変化を促進する援助活動をつなぐもので，活用可能な資源に焦点をあてて，目標とゴールを定めていきます。援助活動の計画においては，コミュニティの期待，規範，価値，サービス供給システム，社会資源を含むコミュニティを視野に入れます。またその利用可能性とゴール達成の可能性を検討します。

⑸　支援の実施

支援の実施には直接援助活動と間接援助活動があります。

直接援助活動の過程では，効率性，自己決定，個別化，変化，ソーシャルワーカーとの相互補完，プランニングにおける本人の参加に基づくゴールの焦点化を原則として援助活動の種類を決定します。具体的には，人間関係の発展をうながす活動，利用可能な資源を活用できるようにする活動，エンパワメント，具体的で参加しやすい活動の活用などですが，どれを選択するかは，支援を求める人の性格傾向や行動様式，ソーシャルワーカーの介入のレパートリーなどによって決められていきます。

間接援助活動は，影響力のある人への働きかけ，サービス調整，ボランティアプログラムの開発，セルフヘルプグループと取り組む活動，地域への働きかけ，ソーシャルアクション（社会への働きかけ），アドボカシー（権利擁護のための機能）などが含まれます。

⑹　モニタリング

支援が目標やゴールに近づいているかどうかを判断する手段です。アセスメントから支援の実施，終結のいずれの段階でも評価を行い，期待されていることが実際に進んでいるか，確認します。その方法や戦略は有効だったのか，支援のゆきづまりの原因は何かを判断し，当初定められた目標とゴールに関する一連の援助活動の結果に関する評価を行います。

モニタリングの結果，十分な成果が見られない場合や軌道修正が必要な場合は，再アセスメントを行い，もう一度プランニングの段階や支援の実施段階へとフィードバックを行います。

(7)　事後評価・終結・アフターケア

支援過程の終結は，ソーシャルワーカーと協働で取り組んだ作業を終わらせる段階で，原則として，支援の開始時期に計画されるものです。終結して支援がなくなっても順調にやっていけるだろうか，という不安をソーシャルワーカーと利用者の双方が感じています。ですから，変化がもたらされた，その状態を安定させて終結することができるよう，ソーシャルワーカーは力量を高めることが必要です。

支援の終結に際しては支援の効果を測り，支援が妥当であったかどうか，支援計画は実施できたか，予想外に成果のあったことは何か，など多角的な評価を行います。こうした積み重ねが次の支援の力を高めることにつながります。

また，利用者に対しては，支援の終結後にも生活状況に変化が起きたり，新たな課題が生じた場合にはいつでも支援を再開できる，すなわちアフターケアが可能であることを知らせます。

4　援助関係の意義とソーシャルワークの価値

(1)　援助関係の意義

ソーシャルワーカーは利用者との間に援助関係を築き，相互作用によって関係を発展させ，困難に対処する力，つまり利用者自身が解決していける力を発揮できるよう支援を展開していきます。自身では解決できない問題に直面している人々の話に耳を傾け，問題の全体像を把握し，支援の計画を立てて遂行していきます。何を解決することが求められているのか，どう解決していけばよいのか，どう解決することが望まれているのか，それらを的確に把握し判断する材料は，しっかりとした援助関係が構築できればおのずと得られます。援助関係の樹立が援助過程の基本です。

援助関係は専門的な関係です。援助の終結後も友人関係のように継続されるわけではありません。しかし，関係が断ち切られるのではなく，アフターケアが必要になればいつでも援助関係に基づく新たな援助が開始されます。

より良い援助関係は，他者に対する誠意ある関心と個別的なニーズを理解する温かい心，誠実な傾聴，伝えるべきことを明確に伝えるコミュニケーション能力などによって構築されます。また，援助に役立つ専門的な知識や技術を幅広く身につけ，一人の利用者の背後にある普遍的な問題を発見し，そのための方策を常に視野に入れて新たな社会資源を開発する前向きな態度が大切です。

⑵　援助関係における原則

ソーシャルワーカーが援助関係を築き，有効な支援を展開していくために守るべき原則を考えてみましょう。まず，個別性を尊重し，その課題が利用者にとってどのような重みをもっているかを，利用者が理解してほしいと感じている度合いを体感的に理解することが大切です。どのような場合も非審判的態度をもって共感的理解をしていきます。

多くのケースを扱うなかで経験知が蓄積されていきますが，常に初めてのケース，新しい利用者であることを念頭におきます。そして，受容的な姿勢で相手の話に耳を傾けることです。

さらに，秘密が守られることを相手に伝えます。ことばで伝えることはもちろんですが，ことば以上に物腰や態度といったところで，本当に秘密が守られるという安心感を与えなくては信用されません。

ケースワークにおける援助関係については，アメリカでバイスティック（Biestek, F.）の著書，『ケースワークの原則』（1957年）に示された原則が「バイスティックの７原則」と呼ばれ，ソーシャルワーカーにとって必須の基本的態度として現在でも学ばれています。

■図４－２　バイスティックの７原則

個別化

援助を必要とする人が不特定の人間一般としてでなく特定された人間として扱われることが人間固有の権利であり，同じ問題は存在しないという考え方。

意図的な感情表出

援助を必要とする人の感情を否定せずに耳を傾け，自由に表出できるようにすることで自身の気持ちに気づけるよううながす。

統制された情緒関与

ソーシャルワーカー自身が援助を必要とする人の感情に対して抱く感受性について自己理解し，感情を統制して意図的で適切に反応する。

受容

生まれながらの人間の尊厳を終始尊重し，援助を必要とする人の態度や言動，感情などを否定せずにあるがままに把握し接していく。

非審判的態度

援助を必要とする人の善悪や，問題発生に対する責任の度合いを判定したり決めつけることなく，支援に必要な評価的判断を行う。

自己決定

潜在的能力を刺激して行う援助過程において，選択と決定を行う自由に関する権利を認め，援助を必要とする人自身の進むべき方向の決定を尊重する。

秘密保持

援助関係において打ち明けられる秘密の情報を保持することは援助を必要とする人の基本的権利に基づく倫理的義務であり，効果的な援助のためにも必要。

(3)　ソーシャルワーカーに求められる倫理

ソーシャルワーカーは個々人の生活に深くかかわり，相互の人格的なふれあいにおいて援助を進めていきます。保育や介護を含む対人援助職と呼ばれる人々に共通することですが，いかなる場合も人間を信頼し人権尊重を最優先として仕事に携わっています。経済状態や病気など個人情報にもふれる機会が多く，厳しい守秘義務も課せられます。

専門職の確立と広がりを背景にして，各職能団体等は自主的に倫理綱領を制定してきました。1951年にアメリカのソーシャルワーカー協会（後の全米ソーシャルワーカー協会）が制定したものが最初です。日本では1986（昭和61）年に日本ソーシャルワーカー協会によって倫理綱領が定められ，1995（平成７）年に日本社会福祉士会によって採択されました。その後，2005（平成17）年の改訂では，ソーシャルワークの定義，価値と原則，倫理基準が示され，2020（令和２）年には，ソーシャルワーク専門職のグローバル定義の変更にともなう改訂が行われました。

この他にも，「日本精神保健福祉士協会倫理綱領」（2013（平成25）年），「日本介護福祉士会倫理綱領」（1995（平成７）年），「全国保育士会倫理綱領」（2003（平成15）年），「老人福祉施設倫理綱領」（1993（平成５）年），介護支援専門員倫理綱領（2007（平成19）年）などがあります。対人援助に携わる専門職とは，常に倫理的責任をみずからに課し，利用者の人権と最善の利益に寄与する職業であることを理解するためにもぜひ目を通しておきましょう。

第５章　最低生活保障と生活保護制度

Point

◆憲法に示された国民の最低生活を保障する社会保障制度の一つが公的扶助です。公的扶助の中心は，経済的な援助が必要な状態にある人々への援助を行う生活保護制度です。
◆貧困とは，衣食住など生活の最低限の必要が満たされないだけでなく，社会から分断され孤立した状態です。その定義や基準については，さまざまな見解があります。
◆この章では，貧困とその背景にある要因を理解し，支援の意義と実際を学習します。また，社会の変化を映し出す新たな課題について考えていきます。

1　貧困問題と生活保護制度

(1)　現代社会と貧困問題

貧困とは，日々の生活を支える衣食住が不足して，必要最低限の生活水準を維持できないばかりではなく，その影響が精神的あるいは肉体的荒廃に深く及んでいくことも含めた概念です。このため，物資や金銭の支援だけでは解決できない面があります。

古くは自然災害や悪疫の流行，病気や老い，個人の怠惰が貧困の原因とされ，いたしかたないことだと考えられていました。貧困を避けるため，個人の勤勉や努力が推奨され，宗教や慈善家による救済，あるいは最低限の救貧策などによって対応がなされてきました。

20世紀になると，貧困の原因が個人の怠惰ではなく労働条件の劣悪さや社会・経済的要因，子育て期や高齢期などのライフサイクルなどが関連し合って，個人と家族の生活を脅かすことが指摘されるようになりました。それは，世界全体の社会・経済の動向とも結びついており，慈善や自助努力だけでは回避できず，国家的な保障や予防的な施策が必要であると考えられるようになりました。それが20世紀の社会保障や社会福祉の整備へとつながりました。

貧困の定義はさまざまですが，衣食住の生活物資が不足し，栄養学的にみて生命の危機につながる状態を「絶対的貧困」と呼びます。アジアやアフリカにおける飢餓，路上や港，不衛生な場所での生活を余儀なくされているストリートチルドレンの存在などがその現れです。他方，生命の維持ができても，その時代や地域の大多数よりも貧しい状態を「相対的貧困」と呼びます。標準的な生活様式や当たり前の習慣，諸活動への参加などを保てなければ人間の尊厳は保持できないことを貧困と考えるのです。また，「相対的剥奪（はくだつ）[1]」というとらえ方も広く用いられています。

日本を含めて経済的には豊かとされている国々でも，ホームレス問題や孤立死[2]がみられ，いわゆる「格差」拡大の問題が顕著になっています。非正規雇用や派遣労働といった不安定な雇用，住宅ローン返済の滞納，多重債務など，生活崩壊の危機と隣り合わせにある人々が急増しています。こうした生活不安の影響は「子どもの貧困」や母子・父子家庭

1）**相対的剥奪**　ピーター・タウンゼント（Townsend, P.）は，1970年代のイギリスにおける貧困の所在を研究し，標準的生活様式や習慣，諸活動への参加などを保てない状況を「相対的剥奪」(relative deprivation）とし，その度合いが顕著に現れてくる所得の水準を相対的貧困ととらえた。たとえばイギリス人が習慣として飲むお茶は栄養学的に意味がなくてもイギリス人としての標準的な生活には必要だと説明される。

2）**孤立死**　一人暮らし等の人が誰にも看取られずに自室で死亡し，死後しばらくしてから第三者により発見される場合を指す。かつては「孤独死」が用いられたが，「さびしい」心情よりも，既に社会関係が断たれている客観的孤立状態にあって気づかれずに時間が経過することを示す「孤立死」が用いられるようになった。いずれも厚生労働省による定義や法的定義はない。

の貧困，高齢者の貧困，女性の貧困を顕在化させています。「ネットカフェ難民」や「ワーキング・プア」は，生活保護制度では解決できない貧困の広がりを示しています。

⑵　公的扶助とは

さまざまな制度を活用しても生活を営むための所得を確保できずに，国の定めた一定水準に満たない場合に，国家の責任で最低生活保障を行う社会保障制度が公的扶助です。

日本では，金銭給付を中心として所得の不足を補う生活保護制度が公的扶助の中心で，その特徴は次の３点があげられます。

第一に，すべて公費を財源とし，受給のための費用負担がない「無拠出型」と呼ばれる方法がとられることです。社会保険は，将来の給付に備えて法で定められた社会保険料を支払うことによって受給資格を得る「拠出型」であることとの，基本的な相違点です。

第二に，国が最低生活費の基準を定めていて，公的扶助を必要とする人の収入と，国の定めた基準との差額を給付して，収入の不足分を補う方法であることです。

第三には，「ミーンズテスト」と呼ばれる資力調査が行われることです。生活困窮の状況を把握し，国が保護を行う基準にあてはまるかどうかを判断するための調査です。資産だけでなく，家族状況など，かなり細かな点に及ぶ調査であるため，プライバシーの保護が留意されています。

生活保護のほかに「社会手当」と呼ばれる無拠出型の現金給付があります。ミーンズテストは行われず所得要件等によって支給されるという，いわば社会保険と生活保護の中間的な性格のもので，日本では，児童手当，児童扶養手当，特別児童扶養手当，特別障害者手当などがこれに該当します。

2 生活保護制度の実際

(1) 基本的な考え方

①目　的

生活保護法は「すべて国民は，健康で文化的な最低限度の生活を営む権利を有する」という憲法第25条に規定される生存権保障の理念に基づいています。生活保護法第１条では，「生活に困窮するすべての国民」を対象として，その困窮の程度に応じた保護を行い，さらに「その自立を助長する」ことが目的とされています。

この「自立の助長」はたいへん重要です。というのは，困窮している状態への支援にとどまるのではなく，保護がなくても生活できるよう援助していくことが重視されているからです。

また，保護の申請や受給をする者の権利として生活保護法では不服の申し立てが認められています。具体的には，都道府県知事に対する審査請求と，その結果に不服な場合の厚生労働大臣への再審査請求や行政訴訟が可能です。

■図５－１　生活保護の手続

事前の相談 →	保護の申請 →	保護費の支給
・生活保護制度の説明 ・生活福祉資金，障害者施策等各種の社会保障施策等の紹介や助言	・預貯金，保険，不動産等の資産調査 ・扶養義務者による扶養の可否の調査 ・年金等の社会保障給付，就労収入等の調査 ・就労の可能性の調査	・最低生活費から収入を引いた額を支給 ・世帯の実態に応じて，年数回の訪問調査 ・収入，資産等の届出の受理，定期的な課税台帳との照合などを実施 ・就労の可能性のある者への就労指導

出典：厚生労働省「第１回生活保護基準の新たな検証手法の開発等に関する検討会」資料

②無差別平等の原理

性別や社会的身分はもちろんのこと，困窮に陥った理由は一切問わずに経済状態だけ着目して保護の可否や金額が決定されるという，保護請求の無差別平等の原理です。

③最低生活保障の原理

生活保護法が保障する最低生活は，憲法第25条に謳われた「健康で文化的な生活水準」を維持できるものとするということを示す原理です。

生活保護の基本原理（生活保護法第１条〜第４条）

昭和25．5．4法律144
最終改正　令和３年法律66

第１章　総則

（この法律の目的）

第１条　この法律は，日本国憲法第25条に規定する理念に基き，国が生活に困窮するすべての国民に対し，その困窮の程度に応じ，必要な保護を行い，その最低限度の生活を保障するとともに，その自立を助長することを目的とする。

（無差別平等）

第２条　すべて国民は，この法律の定める要件を満たす限り，この法律による保護（以下「保護」という。）を，無差別平等に受けることができる。

（最低生活）

第３条　この法律により保障される最低限度の生活は，健康で文化的な生活水準を維持することができるものでなければならない。

（保護の補足性）

第４条　保護は，生活に困窮する者が，その利用し得る資産，能力その他あらゆるものを，その最低限度の生活の維持のために活用することを要件として行われる。

２　民法（明治29年法律第89号）に定める扶養義務者の扶養及び他の法律に定める扶助は，すべてこの法律による保護に優先して行われるものとする。

３　前２項の規定は，急迫した事由がある場合に，必要な保護を行うことを妨げるものではない。

国が，最低生活を維持する基準を具体的に金額で定めたものが生活保護基準です。生活保護はこの基準に基づいて運用されています。

④補足性の原理

保護を希望する者については，まずその資産や労働能力，社会保険の給付や他の法律による手当や貸付制度など，活用できる能力や制度がないかどうかの確認が行われます。加えて，扶養義務者[3)]による扶養が可能かどうかについても調査が行われます。つまり，生活保護を適用せずに生活できるかどうか，ミーンズテスト（資力調査）をもとに判断したのちに，不足を補う範囲での保護の可否と程度が決定されます。生活保護は所得保障制度の最後のとりでという意味で「セーフティネット」の役割を担うといわれています。

⑵　生活保護実施の原則

生活保護を実際に適用するにあたり，次の四つの原則があります。

①申請保護の原則（生活保護法第７条）

本人または扶養義務者，同居の親族に限って生活保護の申請を行うことができ，またその申請がないかぎり，保護の手続きは開始しないという原則です。ただし急迫の場合は，申請を待たずに保護が行われます。

②基準および程度の原則（生活保護法第８条）

生活保護基準は，要保護者の年齢や世帯構成，所在地等の相違によって定められており，生活保護基準と収入との不足分をその要保護者に必要な生活保護費と認めて支給されています。

③必要即応の原則（生活保護法第９条）

年齢や世帯構成，健康状態等要保護者や世帯の実情に応じて，それぞれに必要とされる保護を有効かつ適切に行うという原則です。

3）**扶養義務者**　扶養の義務を負う範囲のことで，民法第752条，第877条により，夫婦ならびに直系血族および兄弟姉妹で社会通念上扶養の義務を負う者を絶対的扶養義務者，三親等内の親族を相対的扶養義務者としている。

④世帯単位の原則（生活保護法第10条）

同一住宅に居住し，生計を一つにしているものを同一世帯と認め，その同一世帯内で収入や資産の認定，保護費の算定を行うという原則です。やむを得ない場合に限り，同一世帯からある人を切り離して生活保護をする場合があります。これを世帯分離と呼びます。

(3)　生活保護の種類

生活保護には次に示す８種類の扶助があります。これらを世帯の実情に応じて組み合わせることによって，世帯ごとに生活保護費（金銭給付）および医療や介護（現物給付）などの保護の内容が決定されます。

生活保護の受給においては，冠婚葬祭の祝金など特定の金銭を除いて，働いて得た収入や年金，仕送りなどの金額が生活保護費から差し引かれます。これを収入認定といいます。ただし，働いたことによる収入の場合は全額ではなく，一定額を収入から控除して収入を認定するなど，就労が収入の増加につながるよう工夫されています。

①生活扶助

飲食物費や被服費，家具食器類，光熱費など個人や世帯単位で必要な費用を算定しています。そのほかに妊産婦加算，母子加算，障害者加算など，特に必要な部分を加算します。入院の場合には生活扶助として入院患者日用品費が適用されます。

②教育扶助

義務教育の期間に限って，必要な教科書その他学用品や通学用品にかかる費用，学校給食費など義務教育にともなって必要な額が支給されます。

③住宅扶助

基準額の範囲で家賃や地代などが支給されます。家賃などは地域差が著しいので，地域別の基準額が定められています。

④医療扶助

医療扶助は現金の給付ではなく，医療券が交付されます。指定医療機

■表５－１　最低生活保障水準の具体的事例（平成30年10月）

1．３人世帯（夫婦子１人世帯）【33歳，29歳，４歳】　（月額：単位：円）

	1級地－1	1級地－2	2級地－1	2級地－2	3級地－1	3級地－2
生活扶助	158,900	153,070	146,820	144,150	138,180	133,630
住宅扶助（上限額）	69,800	44,000	56,000	46,000	42,000	42,000
合計	228,700	197,070	202,820	190,150	180,180	175,630

2．高齢者単身世帯【68歳】

	1級地－1	1級地－2	2級地－1	2級地－2	3級地－1	3級地－2
生活扶助	79,550	76,180	72,010	70,900	67,860	65,500
住宅扶助（上限額）	53,700	34,000	43,000	35,000	32,000	32,000
合計	133,250	110,180	115,010	105,900	99,860	97,500

3．高齢者夫婦世帯【68歳，65歳】

	1級地－1	1級地－2	2級地－1	2級地－2	3級地－1	3級地－2
生活扶助	120,410	115,680	110,220	108,570	103,820	100,190
住宅扶助（上限額）	64,000	41,000	52,000	42,000	38,000	38,000
合計	184,410	156,680	162,220	150,570	141,820	138,190

4．母子３人世帯【30歳，４歳，２歳】

	1級地－1	1級地－2	2級地－1	2級地－2	3級地－1	3級地－2
生活扶助	189,190	183,660	175,400	173,460	166,190	161,890
住宅扶助（上限額）	69,800	44,000	56,000	46,000	42,000	42,000
合計	258,990	227,660	231,400	219,460	208,190	203,890

注1：住宅扶助の額は，１級地－１：東京都区部，１級地－２：福山市，２級地－１：熊谷市，２級地－２：荒尾市，３級地－１：柳川市，３級地－２：さぬき市とした場合の上限額の例である。
　2：平成30年10月現在の生活保護基準により計算。
　3：児童養育加算，母子加算，冬季加算（Ⅵ区の５/12）を含む。
出典：厚生労働省「第１回生活保護基準の新たな検証手法の開発等に関する検討会」資料

関で医療そのものを提供し，費用は医療機関に支払うという形をとっていますので，本人の費用負担はありません。

⑤介護扶助

介護保険法による要介護者および要支援者に対する訪問介護等の居宅介護，施設介護などを行います。介護サービスにかかる費用は，介護事業者に直接支払われるので本人の費用負担はありません。

⑥出産扶助

施設や居宅での分娩（ぶんべん）に要する費用が支給されます。

⑦生業扶助

自立援助を目的として，事業の経営に必要な設備費，機械や器具の購入費，技能を修得するための授業料や教材費，就職に備えるための最低限の洋服や身のまわり品の購入費などの給付が認められています。

⑧葬祭扶助

保護を受給している者が死亡した場合や困窮により葬祭ができない場合などに，必要な経費が支給されます。

⑷　保護施設

生活保護制度は居宅での保護を原則としていますが，保護施設や老人ホームなどに入所した状態で保護を行うこともできます。保護施設に

■表５－２　保護施設の目的・対象者等

令和２年（'20）

施設の種類	種　別	入(通)所・利用別	設置主体	施設の目的と対象者
救護施設（生活保護法38条）	第１種	入所	都道府県 市町村　届出 社会福祉法人、日本赤十字社　認可	身体上または精神上著しい障害があるために日常生活を営むことが困難な要保護者を入所させて，生活扶助を行う
更生施設（生活保護法38条）	第１種	入所	同　上	身体上または精神上の理由により養護および生活指導を必要とする要保護者を入所させて，生活扶助を行う
医療保護施設（生活保護法38条）	第２種	利用	同　上	医療を必要とする要保護者に対して，医療の給付を行う
授産施設（生活保護法38条）	第１種	通所	同　上	身体上もしくは精神上の理由または世帯の事情により就業能力の限られている要保護者に対して，就労または技能の修得のために必要な機会および便宜を与えて，その自立を助長する
宿所提供施設（生活保護法38条）	第１種	利用	同　上	住居のない要保護者の世帯に対して，住宅扶助を行う

出典：厚生労働統計協会編『国民の福祉と介護の動向 2020/2021』2020年（p.321より作成）

は，入所施設として救護施設と更生施設，通所施設として授産施設，利用施設として医療保護施設と宿所提供施設の５種類があります。

(5) 生活保護制度を実施する機関

生活保護に関する相談や事務上の処理を行う機関が福祉事務所です。生活保護に関する主要な業務として，要保護者の相談に応じて指導や助言を行うほか，生活保護の申請から決定，保護開始後の生活状態の把握や指導などを行います。福祉事務所でこの一連の業務に従事する職員はケースワーカーとも呼ばれています。

3 生活保護の動向と課題

(1) 生活保護受給者の動向

生活保護を受けている人々を被保護者，世帯を被保護世帯といい，被保護者が人口1000人に対して何人いるかを示す数値（パーミル：‰）を保護率といいます。

2019（令和元）年度における日本の被保護人員は約207万人，保護率は16.4‰です。1985（昭和60）年以降，平成景気の時期には減少傾向にあり，1995（平成７）年度には88万人，7.0‰まで減少して以降は，景気停滞の影響から被保護世帯と人員の上昇傾向が続きました。2002（平成14）年から2008（平成20）年までは景気の好転がみられましたが，生活保護率の低下にはつながらないまま，2008（平成20）年９月のリーマンショックによる世界金融危機の影響により，さらに被保護世帯数，人員とも急激に増加しました。2014（平成26）年，2015（平成27）年には，戦後の混乱期における生活保護受給者数を上回るまでになりましたが，その後，減少傾向になりました。今後，コロナ禍の影響で増加につながることが懸念されます。

被保護世帯数は，2019（令和元）年度では約164万世帯です。世帯人数では，2019（令和元）年度時点で単身者世帯や２人世帯などの少人数

■図５－２　被保護世帯数および人員の推移

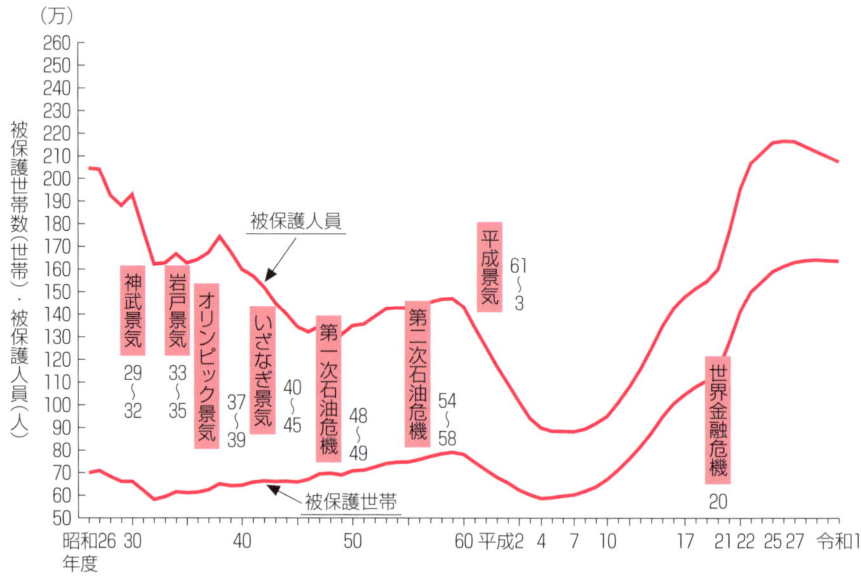

資料：被保護者調査より保護課にて作成（平成24年３月以前の数値は福祉行政報告例）
出典：厚生労働省「第15回社会保障審議会生活保護基準部会」参考資料を改変

■図５－３　被保護世帯の構成割合

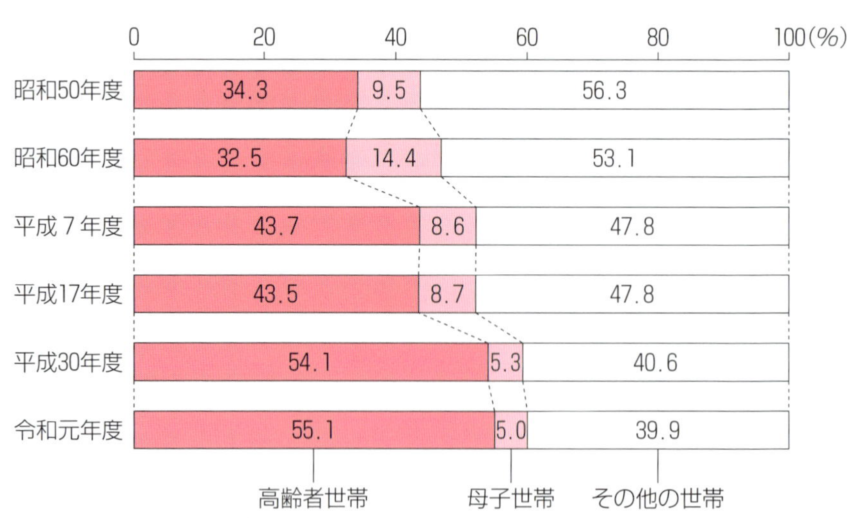

出典：厚生労働省「被保護者調査」より作成

■図５－４　開始理由別保護開始世帯数構成比の推移

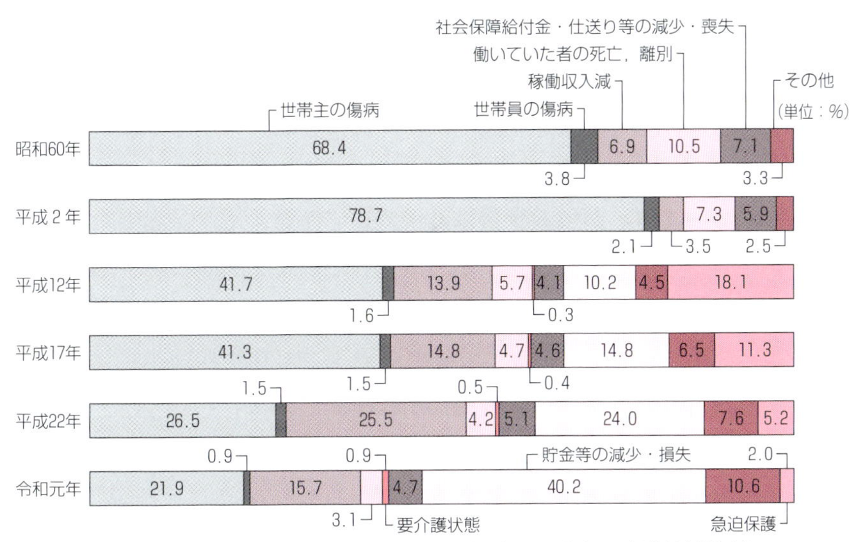

資料：被保護者調査（平成７年までは生活保護動態調査，平成12年から22年までは福祉行政報告例）
出典：生活保護制度研究会編『生活保護のてびき　令和３年度版』第一法規，2021年（p.44を改変）

■図５－５　廃止理由別保護廃止世帯数構成比の推移

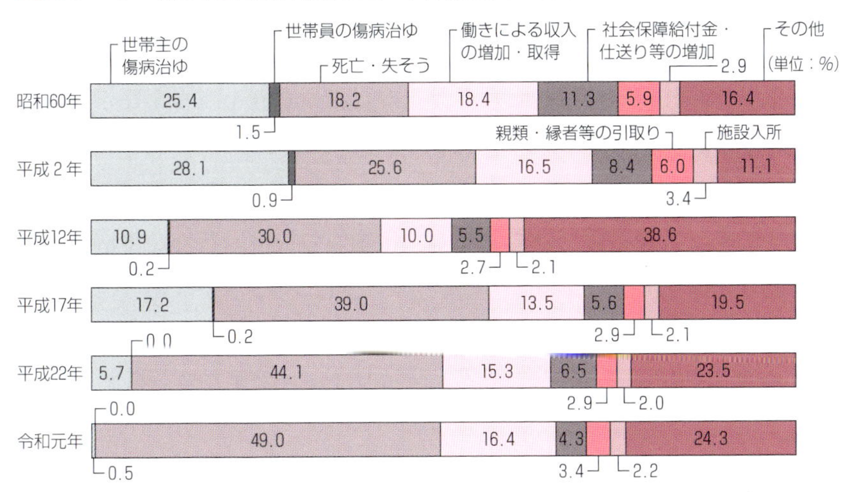

資料：被保護者調査（平成７年までは生活保護動態調査，平成12年から22年までは福祉行政報告例）
出典：生活保護制度研究会編『生活保護のてびき　令和３年度版』第一法規，2021年（p.44を改変）

世帯が約９割を占め，特に単身高齢者世帯の割合が高くなっています。また，「働いている者のいない世帯」が84.6％に及び，受給期間が「10年以上」という世帯が約３分の１を占めています。高齢化社会の進展を反映して，1991（平成３）年度以降は，高齢者世帯の割合が最も高くなり，2019（令和元）年度には55.1％を占め，傷病・障害者世帯の25.0％を上回っています。高齢者世帯は経済的自立が難しく，保護受給期間は長期化し，10年以上に及ぶ比率が高くなっています。

扶助の種類では，扶助受給者の実人員を100とすると，2019（令和元）年では生活扶助が87.8％で，それとならび，住宅扶助が85.4％，医療扶助が84.1％で，住まいと健康が生活困窮に関連していることをうかがわせます。また，高齢者世帯の生活保護受給者の増加を反映して，介護扶助の受給者数，受給率ともに増加傾向がみられます。

⑵　生活保護制度をめぐる課題

生活保護制度は時代に合致した制度となるよう，改正が重ねられてきました。

2004（平成16）年，社会保障制度審議会「生活保護制度の在り方に関する専門委員会報告書」において，「利用しやすく自立しやすい制度への転換」を目指すという方針が明示され，2018（平成30）年にはさらなる改正が行われました。これらの改正が目指す意図をふまえながら生活保護制度の課題を考えていきましょう。

第一に，生活保護制度の目的である自立の助長をうながす制度設計の重要性です。金銭給付だけではなく，住まいの提供や新たな生活への意欲と能力発揮を可能にするような総合的支援に，生活が破綻する以前にアクセスしやすくしておくことは，短期間での自立に結びつきます。支援策の立ち遅れは，「**貧困ビジネス**[4]」とよばれる劣悪な無料低額宿泊事

４）**貧困ビジネス**　生活保護受給者や障がい者，高齢者をアパートなどに居住させ，生活保護費を搾取しているとも思われる悪質な業者による事業。

業における著しい人権侵害を生みました。結果として社会福祉法の改正による規制強化が行われましたが，法のすき間に，こうした事態が起きることには警戒しなくてはなりません。

また，子どもは就労により家計を助けることが優先だという考え方が基本となり，将来の選択肢が制約されてきました。これに対し，自立支援強化の一環として，生活保護世帯の子どもの大学進学等を支援するため「進学準備給付金」が創設されました。**貧困の連鎖**[5]を断ち切るための方策として機能することが期待されるところです。

第二に，「**適正化**[6]」の課題があります。生活保護制度は税によって運営されますから，適切な運用が必須であることはいうまでもありません。残念ながら不適切な受給の問題もみられ，生活保護が真に必要な人々に適用される方策が必要です。国民感情は生活保護の適正化に対し同調しがちですが，適正化の名のもとに扶養義務者への負担増，保護の打ち切りや申請却下等によって，保護を必要とする人々が制度から排除される圧力が強まることは避けなくてはなりません。

第三には，**捕捉率**（ほそく）[7]を高めることによって，支援が必要な人々に必要な支援が届くことが重要です。捕捉率は調査方法によって変動が著しく，また，生活保護に結びつかない要因は多様で，十分に解明されていません。しかし，生活保護制度はセーフティネットですから，生活保護基準に達しない人を迅速かつ的確に把握し，支援を行き届かせる役割があります。要因を明らかにし，支援が必要な人々に支援が届くよう，捕捉率を高める努力が課題となります。

5）**貧困の連鎖**　生活保護世帯の子どもが大人になって再び生活保護を受給することについて，社会保障・税一体改革の議論において生活保護世帯における高校進学率の低さを改善すべく，学習支援や高校中退の防止が必要であるとされた。

6）**適正化**　生活保護を地域事情を反映したより公平なものとすることや，不要な入院をやめること，就労への指導を行うこと等，保護の要否や程度が適正であるかどうかを調査して生活保護制度を適正に運用していくことをいう。

7）**捕捉率**　生活保護基準以下の所得で生活する世帯のうち，生活保護を受給している世帯の比率のことで，保護を必要とする世帯に生活保護がいきわたっている比率を示す。

第四には，最低生活保障を維持するにふさわしい生活保護基準を設定することです。物価変動や生活必需品の変化に適合する改定は，どのようにすれば可能でしょうか。生活保護基準の見直しは毎年行われますが，これをめぐり違憲訴訟も起こされており，2021（令和３）年には大阪地方裁判所により，生活保護基準引き下げに関する違憲判決も出されました。生活保護の基準は厚生労働大臣が定めますが，そのあり方については，保護受給者だけではなく，国民に理解できる形での説明が必要とされます。

これらの課題に加え，音信不通だった扶養義務者への問い合わせ，申請時の保有財産の算定など，保護申請者にとって心理的な負担を負わせる場合があり，「利用しやすく自立しやすい制度」とするために検討すべき課題が残されていることにも留意しましょう。

⑶　生活困窮者自立支援制度の展開

生活保護制度の見直しの過程では，生活保護の要件には当てはまらないが，生活が立ち行かない状況にあり，支援も届かないまま踏みとどまっている人々に対する適切な支援の方策が進められ，2013（平成25）年12月には生活保護法の一部改正とともに，新たに生活困窮者自立支援法[8]が成立，2015（平成27）年に施行されました。

この法律で，「生活困窮者」は「就労の状況，心身の状況，地域社会との関係性その他の事情により，現に経済的に困窮し，最低限度の生活を維持することができなくなるおそれのある者」と定義され，経済的困窮が社会的孤立とも関連づけられて把握されています。

同時に行われた生活保護法の改正内容は，生活保護費に高い比率を占める医療扶助の適正化や健康管理支援，地域差を踏まえた就労支援の推

８）**生活困窮者自立支援法**　生活保護受給者の「自立」をうながす方策および生活保護への移行以前における支援の充実を目指した生活困窮者に対する法制度の抜本的改革が進められ，2013（平成25）年，生活保護法の一部改正に加え，この法律が成立し，2015（平成27）年に施行された。両法律の効果の検証により，2018（平成30）年に改正が行われた。

進や就労意欲を高める工夫などでした。他方，2013（平成25）年８月からは，生活保護制度開始以来最も高い比率での生活保護基準の引き下げが行われ，批判の対象ともなりました。

一方，生活困窮者自立支援制度の就労準備支援事業は，利用者の就労について改善効果が高いことも検証され，就労準備として，自律的生活態度を形成する支援が生活困窮者にとっては重要であることがわかりました。生活実態に即した個別的支援方法の開発によって，生活保護受給の予防につながるという結果は重要な意味をもっています。

2018（平成30）年の改正においては，自立相談支援事業と就労準備支援事業，家計改善支援事業の一体的実施の促進や社会から孤立している者への訪問，施設退所者のシェルター整備など居住支援を充実させ，生活困窮者に対する包括的な支援体制が強化され，生活困窮者支援と生活保護制度が一体的にセーフティネットとなることが期待されます。

また，近年，注目されている「子どもの貧困」についても2013（平成25）年，「子どもの貧困対策の推進に関する法律（子どもの貧困対策法）」が制定され，「子どもの現在及び将来がその生まれ育った環境によって左右されることのないよう」教育の支援，生活の支援，就労の支援，経済的支援を行うことが定められています。

4　貧困問題への取組み

(1)　新たな貧困の広がり

現代社会の変化はきわめて急速です。私たちは，ＩＴ革命の画期的な技術革新が生活にもたらす影響を避けることはできず，少子高齢化や雇用環境の変化，それらも国際的に連動し合って進む変化に直面し，さらにはコロナ禍の問題も加わり，予測の難しい時代を生きています。新たな貧困は，そうした社会の変化と深く関連し合って広がり，格差社会の出現をもたらしています。生活困窮者支援が充実してきたとはいえ，生活保護基準より低い水準の生活を余儀なくされている人々は決して少なくありません。

母子・父子家庭の生活のひっ迫，栄養状態が悪化し病気でも受診できない人々，辛うじて学校給食で栄養不良を回避している子どもたち，就職氷河期に就職できなかった世代の人々，その世代を含め，長年の引きこもり生活を続けているうちに親世代が高齢化して起きている8050問題[9)]，無戸籍や無国籍の子どもたち，ホームレスの人々，十分な労働条件

Column　ホームレスの実態と自立支援

公園や河川，道路などで生活を営むホームレスの人々は生活保護の対象とはならないことが多い。1990年代，バブル経済の崩壊後にホームレスの増加が顕著となり，2002（平成14）年，「ホームレスの自立の支援等に関する特別措置法（ホームレス自立支援法）」により，自立の支援やホームレスとなることを防止するための生活支援が開始された。2003（平成15）年時点では，全国に2.5万人を上回るホームレスが生活していることが把握されたが，2005（平成17）年の「自立支援プログラム」の導入，2010（平成22）年の「ホームレス等貧困・困窮者の『絆』再生事業」における総合相談推進や自立支援，NPO団体と協働で実施する緊急一時宿泊などの事業，さらに翌年の「社会的包摂・『絆』再生事業」など，対応が進められた。その成果によって，2021（令和３）年の国の調査では，3,824人と，大幅に減少しているが，高齢化や路上生活期間の長期化などがみられ，支援策の継続が必要である。

孤立した生活から路上生活へと至ることを防ぎ，地域社会で自立し，安定した生活を営めるよう支援するため，生活困窮者への支援策が充実されることが望まれる。

9）**8050問題**　内閣府は2019（平成31）年，40歳以上64歳以下の中高年のひきこもりが61.3万人であるとの推計を発表した。両親が80歳代，子どもが50歳代である場合が多いことから，8050問題と呼ばれている。親の年金等で生活していることから，親世代の介護が必要になった場合などは，親子ともに生活が行き詰まるため，支援の必要性が高まっている。また，子ども世代の自立が困難という課題もある。

が保障されない外国人労働者など，社会関係からの孤立や経済的困難に直面する人々に貧困が表れています。社会福祉の各分野が解決しきれない課題に通底しているのが，貧困問題なのです。

⑵　「中間的就労」による自立の支援

第1章でも述べたところですが，福祉ならびに社会福祉における「自立」の意味は，就労による経済的自立だけではありません。

生活保護の受給期間の長期化を防ぎ，自立をうながすべく，2005（平成17）年，「生活保護受給者等就労支援事業」が導入されました。しかし，リーマンショック（2008（平成20）年）以降，若年の生活保護受給者が増加し，社会からの孤立が生活困窮者に多くみられることも指摘され，2011（平成23）年度には，「被保護者の社会的な居場所づくり支援事業」が開始されました。同年の「福祉から就労」支援事業を経て，2013（平成25）年4月には「生活保護受給者等就労自立促進事業」へ再編されました。

ここで注目されるのは，正規雇用や一人で生活できる収入を得ることは望ましいとはいうものの，それを唯一のゴールと考えると，あまりにもゴールが遠いと感じられる状況にいる人々は，自助への意欲が削がれかねないということです。心身の障がいや高齢の人々にとって，また，長らく社会から隔絶されて暮らしてきた人々にとって，唯一のゴールが就労による自立であるとすれば，実現が難しい夢だと感じられるのではないでしょうか。

しかし，たとえば短時間でも可能な範囲の就労をすることや，地域社会で役立つ活動に参加することによって，社会とのつながりに自分を位置づけ，生活の潤いを感じることが可能になります。それは就労による自立と等しい価値を有し，本人にとっては社会への大きな一歩です。健康や生活面にも着目した「中間的就労」とは，こうした，正規の就労だけに限らない広い範囲の就労と活動のことで，NPO団体や企業が，その可能性を拡充していけば，可能性はさらに広がります。

(3) 貧困と差別

貧困に対する差別意識の問題を考えておきましょう。

たとえば，子どもの貧困を単に同情の対象とすることは子どもに対する差別の助長につながらないとも限りません。

かつて，生活保護を受けながら専門職を志して学んでいた学生の作文を紹介します。「私たち家族は父が病気で亡くなった後，生活保護を受けていたことがある。そのころ，進学せずに働けばよいのに，ぜいたくだと言われたことが心に突き刺さっていた。社会福祉を勉強してみて，その考え方が間違っていることがわかり，人間としての権利を取り戻した気がした。うれしかった」。被保護者に対する冷淡で差別的な視線は孤立を生みます。この作文に込められた思いを受け止めるとき，被保護家庭の子どもも希望すれば進学の道が開かれるという法整備の意義は大きいことに気づかされます。

自己責任が拡大解釈されると，時として人間の尊厳が傷つけられることが見過ごされます。貧困の根底には，本人の努力だけでは動かすことのできない社会の状況があることに対し，市民みずからが正しい知識を得て支援に参加することが大切です。

生活保護制度を利用することで人間らしさを失うような思いにかられることがないよう配慮することは，生活保護法や生活困窮者自立支援法に記された理念です。当事者にとっての重さを共有しようとする姿勢が，共生社会の創造にとって不可欠といえるでしょう。

第6章 児童福祉から児童家庭福祉へ

Point

◆日本では急速に少子化が進み，子どもを取り巻く環境と家族の生活に著しい変化がみられ，子どもの人格や生活力の形成に大きな影響を与えています。
◆児童家庭福祉は，さまざまな制度や機関，施設，サービスを通じて家庭・家族を支援し，子どもの発達と生活を保障するという，子どもの権利を守る取組みです。
◆この章では，児童家庭福祉の基本である児童の権利について理解するとともに，次世代育成の近年の急速な展開と，保育，社会的養護，障がい児福祉など児童家庭福祉の実際を学んでいきます。

1 児童の権利としての児童福祉

(1) 児童の権利

どの子どもにも，健やかに生まれ育ち，その発達と生活を保障される権利があります。児童福祉は，児童の権利を実現するための具体的方策や諸活動を意味します。

しかし，歴史をひもとくと，子どもは親あるいは大人の従属物で，思考や判断が未成熟な，いわば一人前ではないという児童観が長らく通用してきました。子どもを一人の人間として扱うという考え方は，まだまだ新しいものです。

「20世紀は児童の世紀[1)]」といわれ，さまざまな機会に児童の権利の考え方が示されてきました。その集約が，国連による1989年の「児童の権利に関する条約」（通称「子どもの権利条約」）の採択でした。

この条約は，児童が受動的に権利を与えられるということにとどまらず，能動的な権利の主体であることを確認した点に特徴があります。それまでは，理念として児童を権利の主体と位置づけながらも，権利保障の主体は大人や社会であると考えられてきました。

これに対し，子どもの権利条約では児童自身が行使する「意見表明権」や「表現・情報の自由」が権利として明示されており，子どもは十分に意見を尊重され「最善の利益」にかなう環境を提供されるべきだという考え方が記されています。

日本は1994（平成6）年に158番目の批准国となり，新たな考え方に基づいて，あらゆる子どもの権利を保障するため，施策や福祉実践の見直しを進めてきました。

児童の権利に関する条約

第3条（児童に対する措置の原則）

1　児童に関するすべての措置をとるに当たっては，公的若しくは私的な社会福祉施設，裁判所，行政当局又は立法機関のいずれによって行われるものであっても，児童の最善の利益が主として考慮されるものとする。

2　締約国は，児童の父母，法定保護者又は児童について法的に責任を有する他の者の権利及び義務を考慮に入れて，児童の福祉に必要な保護及び養護を確保することを約束し，このため，すべての適当な立法上及び行政上の措置をとる。

3　締約国は，児童の養護又は保護のための施設，役務の提供及び設備が，特に安全及び健康の分野に関し並びにこれらの職員の数及び適格性並びに適正な監督に関し権限のある当局の設定した基準に適合することを確保する。

第12条（意見を表明する権利）

1　締約国は，自己の意見を形成する能力のある児童がその児童に影

1）**20世紀は児童の世紀**　スウェーデンの女性思想家，エレン・ケイ（Ellen Key）（1849～1926）の著書の題名。1900年に発刊され世界的に影響を与えた。

響を及ぼすすべての事項について自由に自己の意見を表明する権利を確保する。この場合において，児童の意見は，その児童の年齢及び成熟度に従って相応に考慮されるものとする。

2　このため，児童は，特に，自己に影響を及ぼすあらゆる司法上及び行政上の手続において，国内法の手続規則に合致する方法により直接に又は代理人若しくは適当な団体を通じて聴取される機会を与えられる。

第13条（表現の自由）

1　児童は，表現の自由についての権利を有する。この権利には，口頭，手書き若しくは印刷，芸術の形態又は自ら選択する他の方法により，国境とのかかわりなく，あらゆる種類の情報及び考えを求め，受け及び伝える自由を含む。

2　1の権利の行使については，一定の制限を課することができる。ただし，その制限は，法律によって定められ，かつ，次の目的のために必要とされるものに限る。

(a)　他の者の権利又は信用の尊重

(b)　国の安全，公の秩序又は公衆の健康若しくは道徳の保護

(2)　児童福祉の基本理念

日本政府は第二次世界大戦後の貧しさのなかで，子どもを戦争に巻き込んで命と生活を危険にさらしたことへの反省に立ち，1947（昭和22）年，憲法の精神をふまえて「児童福祉法」を制定しました。「児童憲章」（1951（昭和26）年）の前文には，「児童は，人として尊ばれる」と記されています。これらは戦後日本の児童福祉の基本理念として長らく受け継がれてきました。

21世紀における児童福祉の抜本的な見直しを意味する「少子化社会対策基本法」の前文にも，「子どもがひとしく心身ともに健やかに育ち，子どもを生み，育てる者が真に誇りと喜びを感じることのできる社会」を目指すと記されています。2016（平成28）年の児童福祉法改正では，子どもの権利条約をふまえることが加筆されたと同時に，児童育成の責任が全ての国民にあること，保護者が児童を心身ともに健やかに育成す

ることに第一義的責任を負うことも明記されました。

子どもは権利の主体であると同時に，発達の途上の存在であり保護的環境を必要とします。家庭は子どもの生活の基盤であり，子どもを育む発達の場ですが，家庭内で子どもの人権が侵害される児童虐待は深刻さを増しています。子どもを対象とする児童福祉の範囲には，その心身を育む場である家庭・家族全体を支援する理念を根底とする「児童家庭福祉」の名称が用いられるようになりました。さらに今日では，親しみやすい「子ども家庭福祉」の名称が一般化してきています。

2016（平成28）年の改正では，保護者による育成義務に加え，国，地方公共団体の保護者支援の責務，児童虐待の発生予防のための措置，児童虐待発生時における迅速・的確な対応のための児童相談所への弁護士の配置，そして被虐待児への自立支援のための諸方策などがより具体的に示されました。2019（令和元）年の改正では児童虐待防止対策がさらに強化され，親権者や児童福祉施設の長が，しつけの際に体罰を加えてはならないことが明記されました。

子どもの命と人権を守り，家庭内で引き起こされる痛ましい事件を未然に防ぎ，子どもと家族が未来への希望をもって生活できることが強く望まれています。

児童福祉法の理念（児童福祉法　第1条～第3条）

昭和22.12.12　法律164
最終改正　令和2年法律41

第1章　総則

〔児童の福祉を保障するための原理〕

第1条　全て児童は，児童の権利に関する条約の精神にのっとり，適切に養育されること，その生活を保障されること，愛され，保護されること，その心身の健やかな成長及び発達並びにその自立が図られることその他の福祉を等しく保障される権利を有する。

〔児童育成の責任〕

第2条　全て国民は，児童が良好な環境において生まれ，かつ，社会のあらゆる分野において，児童の年齢及び発達の程度に応じて，その意見が尊重され，その最善の利益が優先して考慮され，心身ともに健やかに育成されるよう努めなければならない。
② 児童の保護者は，児童を心身ともに健やかに育成することについて第一義的責任を負う。
③ 国及び地方公共団体は，児童の保護者とともに，児童を心身ともに健やかに育成する責任を負う。

〔原理の尊重〕
第3条　前2条に規定するところは，児童の福祉を保障するための原理であり，この原理は，すべて児童に関する法令の施行にあたって，常に尊重されなければならない。

2 少子化の進行と次世代育成支援対策

(1) 少子化時代の子どもと家庭・家族

家庭・家族のあり方は大きく変化し，子どもの養育を家庭内で完結することが難しくなっています。核家族化と少子高齢化の進行，両親の就労，家族意識の変化などに加えて，情報化の進展にともなうコミュニケーション環境の変化や地域社会における人間関係の希薄化などもその要因としてあげることができるでしょう。

児童のいる世帯の減少は顕著で，1970（昭和45）年には65.0％であったのに対し，2019（令和元）年には21.7％となっています。また，児童のいる世帯の平均児童数も1.68人と減少傾向にあります。

家庭における生活内容も変化しています。親の残業や遠距離通勤，子どもの塾通いなどのためもあって，家族が一緒に過ごす時間は少なくなる傾向がみられます。

そうした制約のもとであっても，子どもにとって安らぎと喜びのある居場所であり，健全な成長がうながされるような家庭・家族のあり方を模索し，つくり上げていく努力が必要とされています。

子どもたちが時間を忘れて遊べる場所も時間も十分とはいえません。利便性や防犯への配慮からオートロックで施錠された集合住宅に住み，幼児期から携帯端末を利用する子どもが増えるなど，子どもだけでなく家族が孤立しやすい状況が進んでいます。

家庭や地域の生活環境は，こうしたさまざまな変化に直面していますが，自由で柔軟な発想に立って子育てや家庭の理想像を新しく創造していく姿勢が大切です。

子どもの保護者の仲間づくりや，近隣の高齢者との交流を通じて子どもの見守りや子育ての支え合いの絆を深め，開かれた家族を形成していくことはもちろん，ソーシャルメディアを活用した情報交換や相互支援などの活動も有力な方法になります。

地域での新しい祭りの開始など，個々に分断された地域社会の人間を新たに結びつけ，地域に根づいた人間関係の形成を進めようとする自発的な活動も生まれています。これらは，家庭・家族で完結しない機能を幅広い人々との関係で補強し，新たな社会関係を創出する過程とみるこ

■図6－1　児童の有（児童数）無別にみた世帯数の構成割合の年次推移

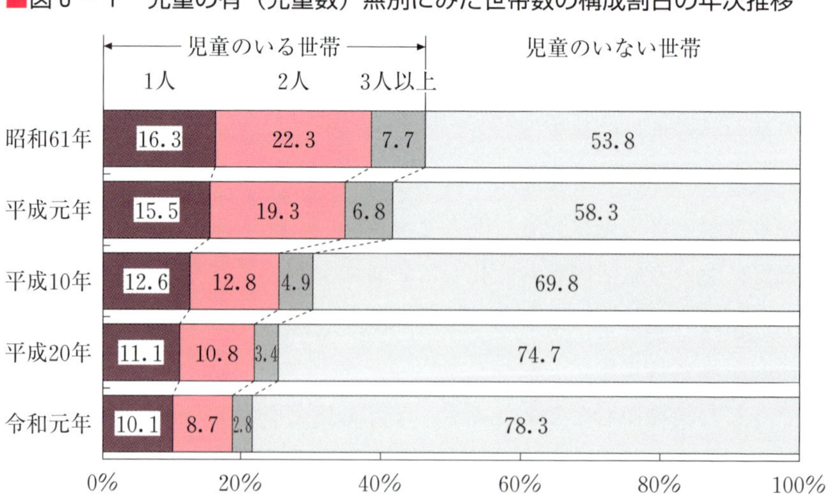

資料：厚生労働省「令和元年国民生活基礎調査の概況」より作成

とができるでしょう。

⑵　次世代育成支援の展開

1990（平成２）年のいわゆる「1.57ショック[2]」以降，少子化の進行への危機感は高まり，さまざまな少子化対策が展開されてきました。

1994（平成６）年12月の文部・厚生・労働・建設の４大臣合意による「今後の子育て支援のための施策の基本的方向について（エンゼルプラン）」と，1999（平成11）年の見直しによる「重点的に推進すべき少子化対策の具体的実施計画について（新エンゼルプラン）」（大蔵・文部・厚生・労働・建設・自治の６大臣の合意）において保育サービスの拡充，子育て相談と支援体制，母子保健医療体制の整備が進められ，さらに，若者の自立支援までも視野に入れた「次世代育成」の抜本的な取組みへと展開されました。保育の拡充を中心とする計画から，若者が意欲をもって自立できるような支援や，男女がともに子育てに参加できる条件整備，児童虐待の防止，子育てバリアフリーのまちづくりなど幅広い内容へと拡充されるようになったのです。

2003（平成15）年の「次世代育成支援対策推進法」（時限立法，2025（令和７）年まで時限延長），「少子化社会対策基本法」の成立により次代の社会を担う子どもが健やかに生まれ，育成される社会を目指し，少子化に対処する施策の総合的方針が示されます。続いて2004（平成16）年には「少子化社会対策大綱」（閣議決定）の重点課題に沿って，5年間に講ずる施策内容と目標として「少子化社会対策大綱に基づく重点施策の具体的実施計画について（子ども・子育て応援プラン）」が策定されました。

2006（平成18）年の「新しい少子化対策について」においては，生命を受け継ぐ価値や家族の重視を理念とする，社会全体の意識改革と施策

2）1.57ショック　それまでも低下が進んでいた合計特殊出生率が，1989（平成元）年に過去最低の1.57であったことが1990（平成２）年に発表され，以後，政策的・社会的に少子化問題への関心が高まった。

の拡充を目指しました。

さらに2007（平成19）年の「仕事と生活の調和（ワーク・ライフ・バランス）憲章」および「仕事と生活の調和推進のための行動指針」，2010（平成22）年の「子ども・子育てビジョン」（閣議決定）を経て2012（平成24）年，「子ども・子育て関連三法」の成立に至ります。関連三法のうち，子ども・子育て支援法では，国は子育て当事者や事業主の代表も参画する「子ども・子育て会議」を設置し，子育て支援の政策プロセスにも大幅な改善が行われました。

関連三法により，2015（平成27）年，「子ども・子育て支援新制度」が本格的に施行され，乳幼児から学童期を含む子育て支援の量・質の拡

■図６－２　共働き等世帯数の推移

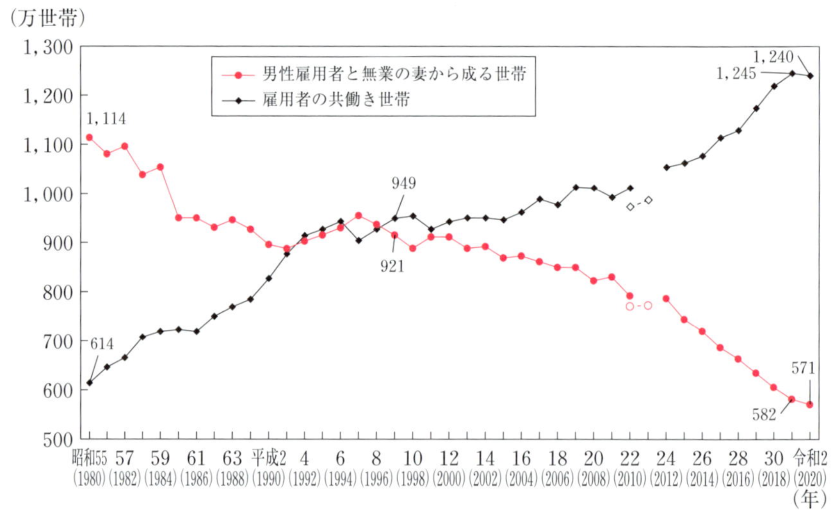

備考：1．昭和55年から平成13年までは総務庁「労働力調査特別調査」(各年２月。ただし，昭和55年から57年は各年３月)，平成14年以降は総務省「労働力調査（詳細集計）」より作成。「労働力調査特別調査」と「労働力調査(詳細集計)」とでは，調査方法，調査月等が相違することから，時系列比較には注意を要する。

2．「男性雇用者と無業の妻から成る世帯」とは，平成29年までは夫が非農林業雇用者で，妻が非就業者（非労働力人口及び完全失業者）の世帯。平成30年以降は，就業状態の分類区分の変更に伴い，夫が非農林業雇用者で，妻が非就業者（非労働力人口及び失業者）の世帯。

3．「雇用者の共働き世帯」とは，夫婦共に非農林業雇用者（非正規の職員・従業員を含む。）の世帯。

4．平成22年及び23年の値（白抜き表示）は，岩手県，宮城県及び福島県を除く全国の結果。

出典：内閣府『男女共同参画白書 令和３年版』2021年（p.110）

■図６－３ 子育て支援対策の経緯

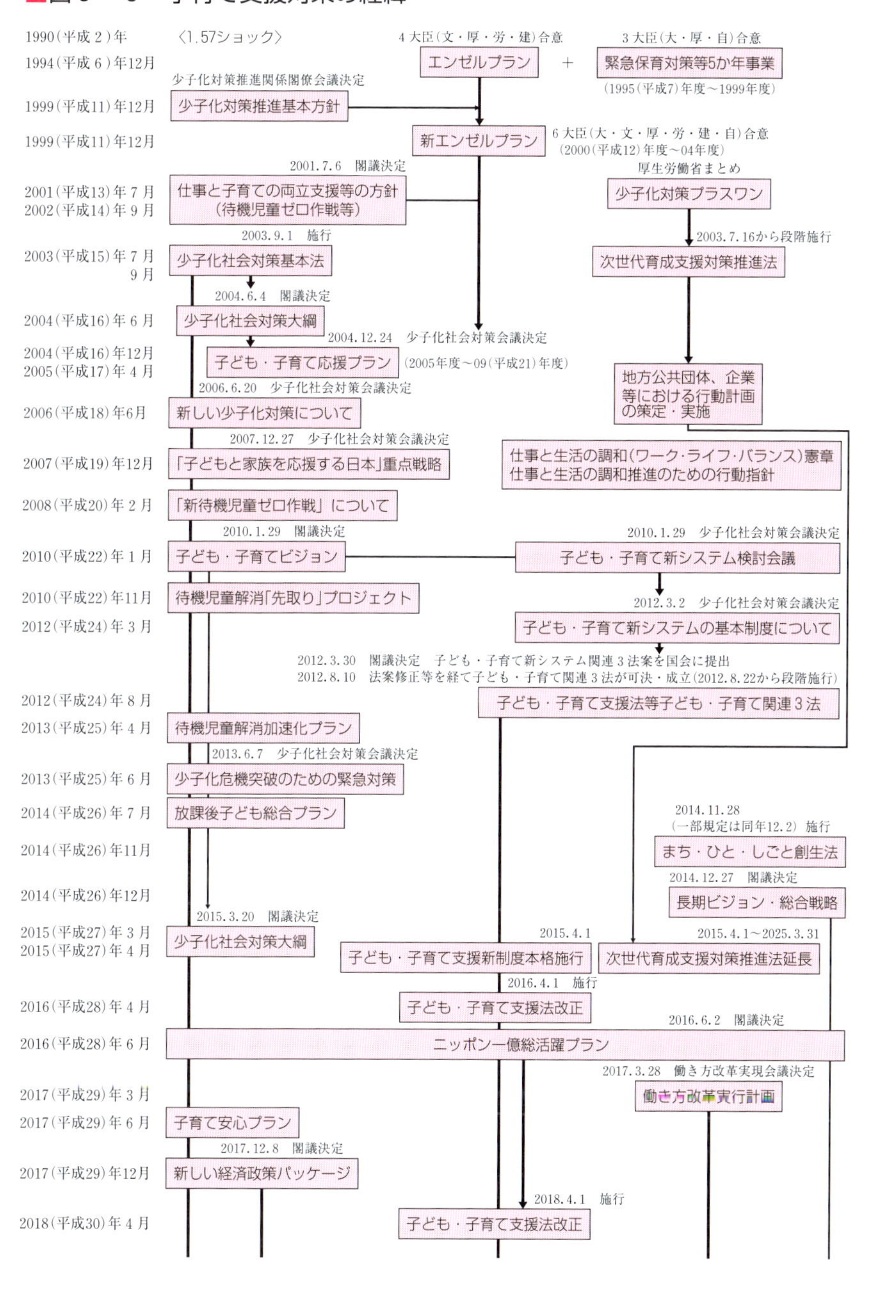

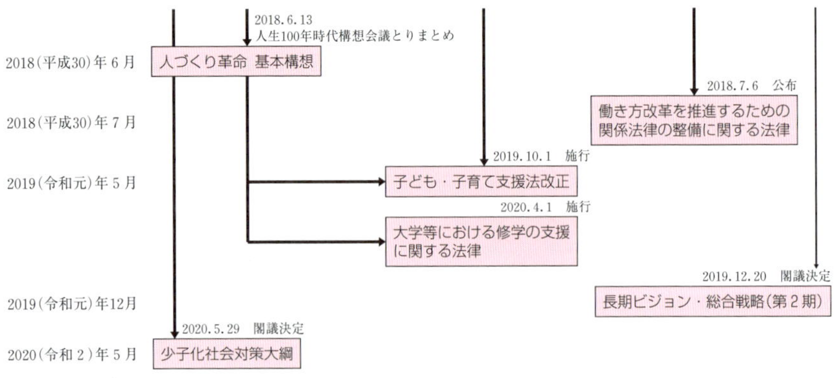

資料：内閣府資料
出典：内閣府編『少子化社会対策白書 令和3年版』2021年（pp.61－62）を一部改変

充，身近な市町村による支援計画の策定などの従来の方策に加え，企業主導の保育事業やベビーシッターへの支援が新たに示されました。

また，同年には，「次世代育成支援対策推進法」（2003（平成15）年）の2025（令和7）年までの時限延長，「少子化社会対策基本法」（2003（平成15）年）に基づく「少子化社会対策大綱」の3度目の改訂が行われました。総合的，長期的取組みの重点課題として，子ども・子育て支援制度のいっそうの充実，若い世代の結婚・出産への支援，多子世帯への支援，男女の働き方改革，「地方創生」と連携した地域の実情に見合う支援策の策定の5点が示されました。

2019（令和元）年の「子ども・子育て支援法」の改正では，幼児教育・保育の無償化の範囲拡大による，子育て世代への経済的支援が強化され，財源確保のため消費税率の引き上げが行われました。

保育の受け皿増設や無償化による経済的支援だけでは十分といえません。男女を問わず仕事と子育て，仕事と生活をバランスよく両立できる社会環境が重要です。

2021（令和3）年の子ども・子育て支援法の一部改正において，子ども・子育て支援事業計画に関し，支援を提供する関係機関相互の連携を強化することや，職業生活と家庭生活の両立に必要な雇用環境の整備を行うための事業主への助成や援助を行うことが加えられるなど，環境の整備が少しずつ進んでいます。

「ニッポン一億総活躍プラン」（2016（平成28）年）は，少子高齢化による労働力不足に対処するため，仕事と子育て，仕事と介護を両立できる，多様で柔軟な働き方を支援し，希望する者が働き続けられる社会を目指しています。子ども・子育て支援法においても，企業による仕事と子育て両立への支援が求められています。

地方の活力を高めることを目指した地方創生の推進も活発です。「働き方改革」では長時間労働や非正規雇用と正社員との格差の是正，高齢者の就労促進などへの取組みが行われ，通称，「働き方改革関連法」によって８本の労働関係法改正が行われ，2019（平成31）年から順次施行されています。

少子化は，とかくマイナスのイメージをもたれがちですが，その克服への努力が社会を強くするという発想の転換も期待されます。

⑶　「待機児童ゼロ」への取組みと保育士養成

子ども・子育て支援策のなかでも保育の受け皿づくりは加速されてきました。2001（平成13）年の「仕事と子育ての両立支援策」の閣議決定以来，約10年にわたり，「待機児童ゼロ作戦」「子ども・子育て応援プラン」「子どもと家族を応援する日本」「新待機児童ゼロ作戦」「待機児童解消「先取り」プロジェクト」などが次々と打ち出されました。保育所の設置主体を株式会社やNPO法人に拡大したり，設置基準を緩和したりして，保育所を開設しやすくするとともに，待機児童が都市部に多いことなど地域差を考慮して，設置基準の緩和や無認可保育所利用者への保育料助成など自治体による独自の取組みも認められました。

「待機児童解消加速化プラン」（2013（平成25）年）では，５年間で約50万人分の保育の受け皿確保を目標として，企業主導型保育施設[3)]への助成が開始されるなどの方策がとられ，53万5000人分の整備により目標を達成しました。

実際に，2021（令和3）年4月時点での待機児童は5,634人で，前年より減少しています。

続く「子育て安心プラン」（2017（平成29）年度）においては，2020（令和2）年度までの3年間で約32万人を目標として，1，2歳児の受け皿に幼稚園を活用することや家庭的保育の普及が進められ，あわせて女性就業率80％の目標も掲げられました。

そして「新子育て安心プラン」（2020（令和2）年12月）では，2024（令和6）年度末までの4年間に約14万人分の保育の受け皿を整備することが閣議決定されています。その内容には，自治体に対する保育施設の整備等への補助の拡充や，保育士の確保，幼稚園の空きスペースを利用した預かり保育，小規模保育やベビーシッターの利用料助成，企業主導型ベビーシッターの利用補助，そして育児休業取得に取り組む中小企業への助成など，多角的な対策となっています。

■図6－4　保育士の資格取得方法

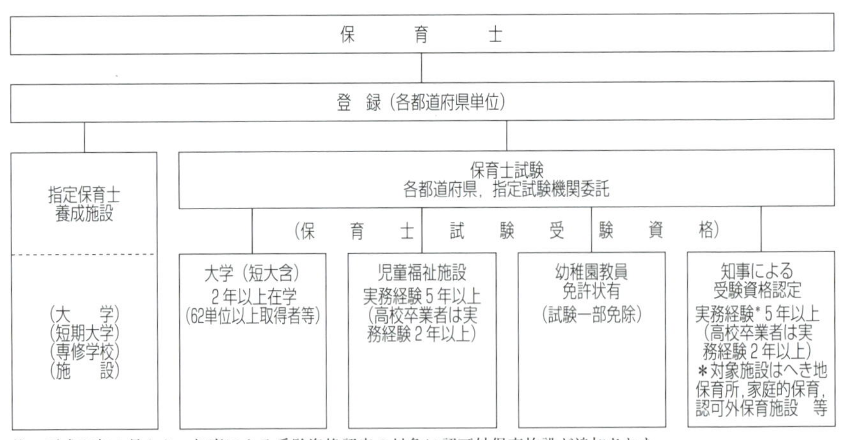

注：平成24年4月から，知事による受験資格認定の対象に認可外保育施設が追加された。

3）**企業主導型保育施設**　企業が自社の従業員の働き方に応じた柔軟な保育を提供するために設置する保育施設。一社での設置以外に地域の企業が共同で設置・利用する保育施設も含まれ，施設整備費や運営費の助成制度が設けられている。

このプランにおいては保育士の確保が明示されました。待機児童解消においては，量的な受け皿の拡大に目が向けられがちですが，保育士やベビーシッター，家庭的保育者といった，保育に従事する人の確保を考えていかなくてはなりません。それも，子どもをより良く育む「質」の高い人材の確保が極めて重要です。待遇改善はもちろんですが，誇りと喜びをもった，保育士の長い歴史に連なる人材の養成を確立していけるか，そこに待機児童ゼロの真価が問われます。

3 児童家庭福祉の課題

(1) 子どもの生活保障としての児童家庭福祉

日本の児童家庭福祉は少子化対策としての次世代育成施策・子育て支援施策に重点がおかれ，子ども・子育て支援策は一定の進展がありました。

しかし，一方で，子どもの虐待や深刻ないじめ，それらに起因する死亡や自殺などのニュースに心を痛めることが少なくありません。虐待とも深くかかわる子どもの貧困は，親や家族の貧困であり，社会の貧困でもあります。子どもの発達ならびに子どもと家族の生活保障をどのように充実させていくのかという重い課題に直面しています。一見，別々にみえる課題が複雑に関連し合っており，根底に貧困の広がりがあるということができるでしょう。

社会福祉，児童家庭福祉の施策の策定や福祉の実践においては，子どもたちが希望あふれる「未来」を描けることを確たる価値軸にしなくてはなりません。

ここでは，第一に乳幼児期から学童期まで一貫性ある保育，第二に母子保健施策の推進，第三に要保護児童の養育と自立支援，第四に心身障がい児の福祉，そして第五に地域における子育て支援の充実についての課題を取りあげていきます。

(2) 乳幼児期から学童期まで一貫性ある保育

増大する乳幼児期の保育需要に対しては，量的不足の解消が進められていることは，既に学んできたところです。働き方改革や地方活性化など総合的な施策が進めば，子育てと就労の両立は加速されていくでしょう。

次の課題は，子どもの未来に対して創造的に働きかける保育のあり方や，保育士の専門性，家庭が子どもの心身にとって居心地の良い場となるような働きかけなど，従来は家庭内部のこととされていた課題が新たに社会にとっての課題となります。日中の多くの時間を過ごす保育の場において，適切な環境や食生活，人間関係の広がり，文化的活動などさまざまな点で意義ある内容であることが求められます。より良い保育実践こそが，子どもの健全な心身の発達を図り，保護者の就労を支えるという保育の目的をかなえていきます。

就学前の子どもの保育は，現在，保育所，幼稚園，認定こども園で行われています。保育所保育指針に基づく保育所，幼稚園教育要領に基づく幼稚園，それらの統合を目指すともいえる認定こども園には，それぞ

■表６－１　保育所，幼稚園，認定こども園の比較

	保育所	幼稚園	認定こども園
管轄	厚生労働省	文部科学省	内閣府 （厚生労働省・文部科学省）
根拠法	児童福祉法	学校教育法	就学前の子どもに関する教育，保育等の総合的な提供の推進に関する法律
教育・保育内容の基準	保育所保育指針	幼稚園教育要領	保育所保育指針 幼稚園教育要領
対象年齢	０歳～小学校就学前	３歳～小学校就学前	０歳～小学校就学前
施設数	２万3759か所	9698か所	8016か所
利用児童数	203万9179人	107万8496人	約102万人

注：施設数・利用児童数に関しては保育所・認定こども園は2020（令和２）年４月現在，幼稚園は2020（令和２）年５月現在の数

れ特色があります。認定こども園は，設立の基準や入園認定，保育・教育の内容，従事者の資格などについて十分に浸透しているとはいえず，過渡的な段階にあるといえるでしょう。

加えて，就学後の放課後保育の不足も重要な課題といえます。「放課後児童クラブ」は「子ども・子育て関連三法」において充実を図ることが定められましたが，需要の拡大に追いついておらず，設置基準もあいまいな点があるため，すべてが子どもにとって望ましい，居心地の良い場とは言い切れない現状です。就学という大きな生活の変化に加えて，放課後児童クラブの利用を新たに開始することが，子どもにとって二重の負担になることも懸念され，子どもにとって切れ目ない支援となるよう，保育所が継続して入学後に対応する事業に着手する例もみられます。

■図６－５　保育所等定員数，利用児童数および保育所等数の推移

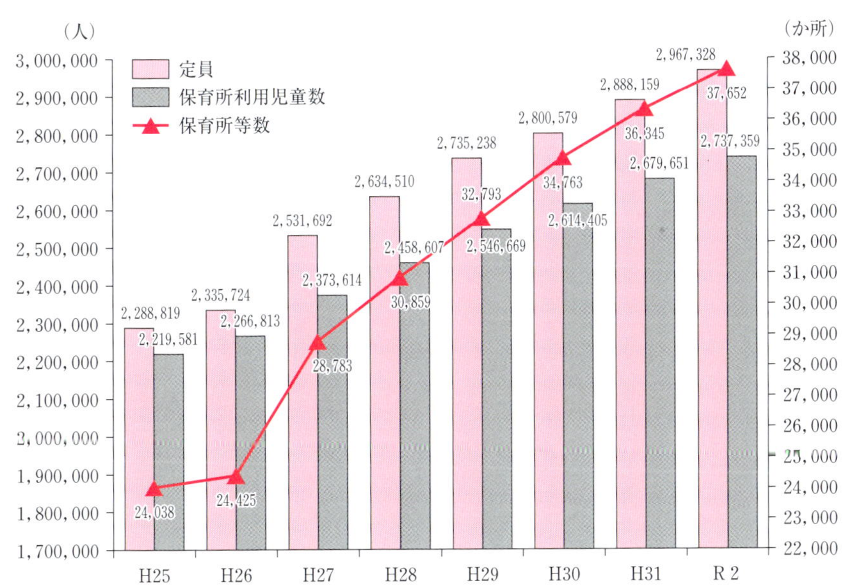

注：平成27年以降は，幼保連携型認定こども園，幼稚園型認定こども園等，特定地域型保育事業の数値を含む。
資料：厚生労働省「保育所関連状況取りまとめ（令和２年４月１日）」

また，障がいのある子どもの放課後の過ごし方は子どもにとって重要です。児童福祉法では障がい児を対象とする「放課後等児童デイサービス」が定められています。授業終了後や休日に充実した楽しい時間，家庭では体験できない文化活動などの時間，将来の自立を視野に入れた支援のための時間を過ごすことができます。また，家族以外の人間関係を形成する社会生活の展開など，子どもの発達にとってさまざまな意義が

■図６－６　年齢別児童家庭福祉施策の一覧

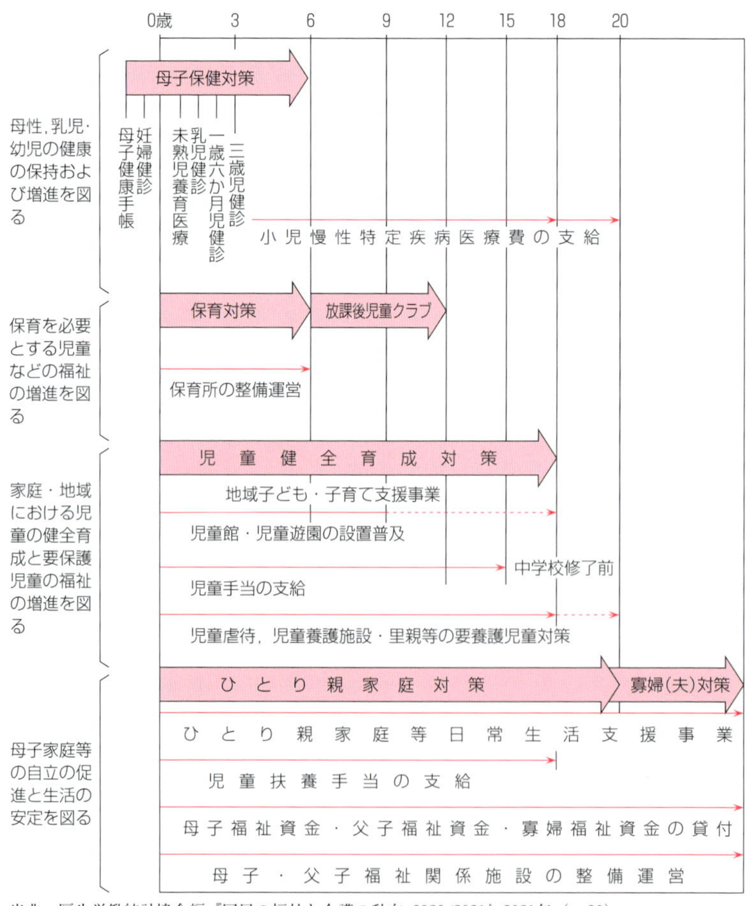

出典：厚生労働統計協会編『国民の福祉と介護の動向 2020/2021』2021年（p.80）

■図6－7　放課後児童クラブの1日（平日の例）

13：30～14：00頃

利用児童の来所（下級生から順次来所）

○出欠の確認，連絡帳の提出
○宿題，遊び，休息など，それぞれの日課や体調等に合わせて過ごす

16：00頃

おやつの時間

○準備，後片付けの実施
○子どもと一緒に手作りのおやつを作るクラブもあり

○その後，集団遊び，レクリエーション等

17：45頃

掃除の時間

18：00頃

集団等により帰宅

出典：厚生労働省資料

あります。

障がいのある子どもの両親が就労している場合も増加し，2017（平成29）年には全国で1万か所以上の放課後等児童デイサービスが設置されました。その後，2019（令和元）年には1万4000か所近くにまで急増しました。しかし，障がいのない子どもたちの放課後児童クラブの活用ならびに，支援の質に差が著しいことを是正するため，2021（令和3）年には，再編の検討が始められています。当事者からは，放課後保育に従事する職員が障がいおよび障がい児に対して理解し，適切な支援をできるのか，特別なニーズに対する手厚い支援は実践できるのかといった不安の声が聞かれています。

保育の視点で乳幼児から学童期までを一貫して整えていくと同時に，

障がいにより，特別な配慮が必要な子どもたちへの丁寧な対応を位置づけていくことは不可欠な課題です。

⑶　母子保健施策の推進

母性の尊重と乳幼児の健康の保持は，子ども・子育てと親とのより良い出会いへの支援であり，子どもにとっては生命誕生への祝福です。

社会が子どもを歓迎し，子育てを見守る取組みとして，「21世紀初頭における母子保健の国民運動計画（健やか親子21）」が策定されました。

2001（平成13）年度から2014（平成26）年度までの第１次計画では，乳幼児期に加え，思春期の保健対策の強化や妊娠・出産の安全性と快適さの確保，小児保健医療水準の維持・向上，育児不安の軽減などの四つの主要課題があげられ，10代の自殺率の減少，不妊への支援などの69に及ぶ指標と目標値が示されました。

その成果と課題をふまえて，2015（平成27）年度から，「育てにくさを感じる親に寄り添う支援」と「妊娠期からの児童虐待防止対策」の二つを重点課題とする第２次計画への取組みが開始されています。2017（平成29）年からはワンストップ拠点としての「子育て世代包括支援センター」の設置に市町村が努めるものと定められています。

⑷　要保護児童の養育と自立支援

児童福祉法第６条の３第８項において，「保護者のない児童又は保護者に監護させることが不適当であると認められる児童」を「要保護児童」と定義し，さまざまな支援策が実施されています。それでも，子どもの心身に深い傷を残すばかりか，発達を阻害し，命さえも奪うような深刻な虐待が後をたちません。加害者となる大人も虐待を受けて育てられたという場合も少なくありません。保護を要する子どもへの対応を進める一方で，根深い連鎖を断ち切り，子どもを愛し，いとおしいと感じ，育もうとする心を見失った社会を変えるための知恵が問われています。

児童相談所における虐待の相談件数は急増しており，2001（平成13）年には２万件，2015（平成27）年には10万件を超えています。さらに，

■図6－8　児童相談所における虐待相談件数の推移（平成5～令和元年度）

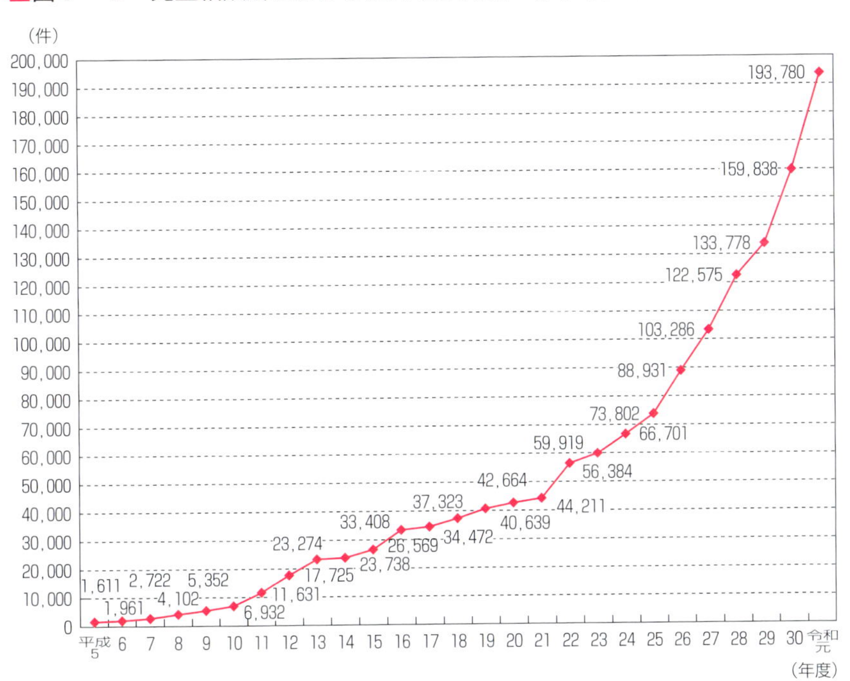

資料：厚生労働省「令和元年度社会福祉行政業務報告（福祉行政報告例）結果の概況」より作成

2019（令和元）年には193,780件と，4年間で倍増しており，命を奪われる悲惨な事件の陰に何倍もの虐待の実態が潜んでいることを見逃してはなりません。

2000（平成12）年には，児童虐待の禁止，防止，早期発見と対応ならびに予防を目指して，「児童虐待の防止等に関する法律（児童虐待防止法）」が制定され，虐待の発生予防，早期発見と早期対応のための積極的な取組みが行われてきましたが，「児童の世紀」といわれて始まった20世紀は，皮肉にも虐待防止への本格的な対応を求められて幕を閉じたのでした。

家庭での養育を受けられない子どもを養育する児童福祉施設が児童養護施設と乳児院です。

児童養護施設への入所理由では虐待や養育の放棄が急増しています。そして，背景にある問題が複雑になっており，一人の子どもの入所理由が複数にわたる例が少なくありません。

心の傷を，さまざまな行動で表現する子どもも増え，集団での対応にとどまらず，心理的支援を含む個別対応が求められる場合が増えています。より良い対応のため，入所児に対する心理学的理解や社会的自立支援など多様な支援が求められるようになり，心理療法担当職員や家庭支援専門相談員，個別対応職員の配置が進められ，2011（平成23）年には相談室の設置が義務化されました。

また，小規模で家庭的な雰囲気のなかで落ち着いた生活ができるよう，**小規模住居型児童養育事業（ファミリーホーム）**[4)]も増えています。

虐待の発生予防から自立支援まで一貫した支援が行えるよう，2016（平成28）年には児童福祉法が改正されて，家庭養育優先の理念と，被虐待児童の自立支援が明示されました。これを受けて「新しい社会的養育ビジョン」（2017（平成29）年）においては，施設養育の小規模化や地域分散化を進めるとともに，家庭と同様の養育環境を原則とすることが示されました。

要保護児童を代替養育する里親制度は以前から実施されてきましたが，日本の場合，里親の数が十分に確保できておらず，具体的な増強策も出されていませんでした。しかし，この養育ビジョンでは，特に3歳未満児については委託率を75％以上に高めることが目標とされ，児童養護施設で生活する期間を短縮することが定められました。里親のもとでの生活が円滑でない場合もあり，養育の密室化を招くなどの理由から，社会的養護を担ってきた施設からは疑問視する意見も出されています。

4）**小規模住居型児童養育事業（ファミリーホーム）**　家庭養護の一つとして養育者の住居に子どもを迎え入れて児童の養育を行う第2種社会福祉事業で，5～6人の子どもと一緒に生活し，子ども同士の相互作用を活かしつつ，自主性を尊重し人間性と社会性を養うことを目的とする。

■表6－2　児童養護施設における養護問題発生理由別入所児童の構成割合

	平成9年度('97)	平成14年度('02)	平成19年度('07)	平成25年度('13)	平成30年度('18)
総数	100.0%	100.0%	100.0%	100.0%	100.0%
父(母)の死亡	3.5	3.0	2.4	2.2	2.5
父(母)の行方不明	14.9	11.0	6.9	4.3	2.8
父母の離別	8.5	6.5	4.1	2.9	2.0
棄児	0.9	0.8	0.5	0.4	0.3
父(母)の拘禁	4.3	4.8	5.1	4.9	4.8
父(母)の入院	9.2	7.0	5.8	4.3	2.7
父(母)の虐待・酷使	5.7	11.1	14.4	18.1	22.5
父(母)の放任・怠惰・精神疾患等	16.1	19.8	24.5	27.0	32.6
その他	36.9	36.0	36.3	35.9	29.8

資料：厚生労働省「養護施設入所児童等調査」(平成10年)，「児童養護施設入所児童等調査」(平成14年度，平成19年度，平成25年度，平成30年度）より作成

いずれにしても，「子どもの権利」である意見表明権や十分な説明，納得できる自己決定が重視されなくてはなりません。

社会的養育を必要とする子どもたちにとって，社会的な自立への支援は不可欠です。児童養護施設の課題の一つとして，施設退所の準備や退所後の自立支援が長らく指摘されてきました。施設を出た後の生活で困らないよう，衣食住や就労に必要な人間関係，金銭管理など，自立に必要とされる多様な知識や技術を習得できる支援が必要です。それが不十分であれば，生活が立ち行かなくなり，心のよりどころを失い，将来にわたる生活基盤の形成が困難となります。**児童自立生活援助事業（自立援助ホーム）**[5]も拡充されてきていますが，決して十分とはいえません。

(5)　心身障がい児の福祉

障がいの早期発見と早期療育は，障がいのある子どもを健やかに育て

5）児童自立生活援助事業（自立援助ホーム）　義務教育終了後，児童養護施設や児童自立支援施設を退所し，就職する児童等に対し，共同生活をする住居を提供して，日常生活の支援や相談支援を通じて社会的自立をうながすことを目的とする。第2種社会福祉事業。

るために，とても重要です。児童発達支援センターでは学齢前の心身障がい児のための通所支援が行われており，子どもたちは専門的な療育プログラムによって生活面の自立や生活体験の広がりを得ることができます。また，予想もしていなかった障がい児との出会いに困惑する親や家族を支え，障がい児の養育を組み入れた家族の形成を支援することも児童発達支援センターの役割の一つです。

障がい児が地域で生活をおくるには，こうした専門的療育だけでなく，保育所や幼稚園での保育や義務教育を受ける機会の保障が必要です。日本では，特別支援学校[6)]の整備にも助けられて，障がい児の教育機会は拡充されてきました。統合教育を含め，障がい児の学ぶ権利の保障は前進しました。今後は，いっそうインクルーシブ保育・教育の実践が進展し，そこに新たな課題も出てくるかもしれませんが，一つひとつていねいに対処していくことが大切です。

特に地域での発達を保障するための課題の一つとして，障がい児の放課後や休日の過ごし方の充実があります。既に述べたように放課後等児童デイサービスは就学している障がい児の放課後や長期休暇中の通所支援です。障がいのある子どもにとって遊びの仲間づくりや遊び方の工夫や支援は不可欠です。子どもに必要な創造的な遊びの機会が十分とはいえない状況を改善する取組みを通じて，未来を切り拓けるような子ども時代を保障することは重要な課題です。

心身の障がいや疾病を有して「医療的ケア」を必要とする子どもたちへの支援は遅れてきましたが，2021（令和３）年に「医療的ケア児及びその家族に対する支援に関する法律（医療的ケア児支援法)」が成立し，ようやく在宅生活や社会生活の支援，経済的支援が着手される兆し

6）**特別支援学校**　学校教育法第72条に基づき視覚障がい者，聴覚障がい者，知的障がい者，肢体不自由者，病弱者に幼稚園，小学校，中学校，高等学校に準ずる教育を行うとともに，生活の自立を図るために必要な知識・技能を授けることを目的とする。それまでの養護学校，盲学校，聾学校が2007（平成19）年４月から特別支援学校として統一された。

がみえてきました。

今後は，幅広い障がい児に対し，どのように接すればよいかわからないと感じる周囲の人々のためらいや根強い偏見を改善し，地域や社会全体が支援の力になるような方策が，さらに求められています。

(6)　地域における子育て支援の充実

子どもと家族の生活保障は，子どもと家庭・家族が安心して暮らせるよう，地域社会における支援の厚みを創っていくことが課題です。

コロナ禍は，家族の有する養育機能の格差を如実に示しました。既に子ども食堂の広がりにみられるように，経済的な困窮が子どもと家族の生活を困難にしてきた事実がありました。その改善の兆しがみえないなかで，コロナ禍が追い打ちをかけています。子育ての密室化による虐待や学校でのいじめによる息苦しさが子どもの未来を拓くとは思えません。

8050問題[7)]といわれる引きこもりの若者とその親の高齢化の問題も，子どもの社会的自立へのつまずきが未解決なままに顕在化した，家族の問題とみることができます。

ヤングケアラー[8)]の問題は，家族の世話などで通学できないなど自立へのつまずきにもつながり，将来にわたる生活困難を引き起こす原因にもなりかねません。

子どもと家族に支援が届くことが子どもにとっての未来の財産です。日本では，子育ては親の責任で完結すべきものという考え方が根強く，地域社会で支援する仕組みを政策として整えるのが遅れた面があります。少子化は孤立的で分子化した家族を多く生み出しています。乏しい社会関係のもとでは子どもと家族の健全さを育てることが難しくなって

7）**8050問題**　p.96参照

8）**ヤングケアラー**　家族のなかに年下のきょうだい，病気や障がいのある人や高齢者などがおり，日常生活上の世話や看護，介護，その他の援助を行う18歳未満の児童。埼玉県では2020（令和２）年にヤングケアラー支援条例を定め，サポートへの取組みを開始した。現在，自治体や関係団体等による実態把握や支援体制づくりが広がっている。

Column 児童館実習を体験して

児童館で実習をして一番うれしかったことは，子どもが事務所まで私を迎えに来てくれたことです。

子どもたちが児童館に来る目的は，大きく二つに分けることができると思いました。「人，特に大人とのかかわりを求めて来る子ども」と「遊び場を求めて来る子ども」です。子どもの求めているものがそれぞれ違うのですから，子どもに対する職員の働きかけも，それぞれに変えなければなりません。このことは児童館に限ったことではないと思うのですが，私には「子どもの求めるものが違う」ということの意味が飲み込めず，子どもに対する働きかけを変えることなど全くできませんでした。

実習中，製作物もいくつかつくらせていただきましたが，その一つひとつに大事な意味があることを教えていただきました。私はただ言われたものをその日中に仕上げようと思い，何気なくつくっていただけで，それに大事な役割があるなんて考えもしませんでした。（ある学生の児童館実習記録より）

います。

「地域子育て支援拠点事業」は，地域の乳幼児親子が自由に集い，互いに交流し親子とも育ち合う場を提供する第2種社会福祉事業です。その実施要綱も改正が重ねられて，2020（令和2）年には障がい児や多胎児への支援も加えられました。さらに，2021（令和3）年の一部改正では，両親が就労していることに配慮して休日を利用した育児参加促進の講習会を開きやすくするための加算も行われています。

家族支援の理論と実践の蓄積を有するカナダでは，街のなかに多数の場が設けられていて，それぞれ特色のある取組みが行われています。多文化，多言語を背景として，子どもと家族が孤立することなく過ごすことができるよう工夫が重ねられ，一定の成果を上げてきました。

「地域子育て支援拠点」は今後も増加すると考えられますが，家族に対する働きかけという専門性を有する職員の養成が必要です。支援拠点には他の機関との連携を通じて，厚みのある地域社会の支援力を高める可能性が期待されています。

また，地域住民のなかで子どもに関する支援を専門的に担当する民生委員・児童委員は「主任児童委員」に任命されており，学校や関係機関との連携・協力のもとで活動し，身近な生活圏域のなかでの見守りや支援に力を発揮しています。

児童館は地域社会の子どもの居場所としての機能を有しています。自由遊びだけでなく，お話し会や工作教室，季節の行事などのプログラムに子どもも準備や運営に参加することで社会性を高めていくことができます。中高生の居場所の不足が指摘されるなか，中高生向けのプログラムやボランティア活動の促進などを通じて，生活経験を広げる取組みも広がっています。

児童館は子どもの成長をうながし，子どもの遊びと文化の拠点の役割を担い，子どもの心の変化にいち早く気づいて支援する機能も有する大事な場です。

4　児童家庭福祉の機関

(1)　児童相談所の機能とその強化

児童相談所は，各都道府県と指定都市，中核市，その他指定された市に設置されています。全国に225か所（2021（令和３）年４月）が設置され，約53万件（2020（令和２）年度）の相談を受けています。児童福祉司，児童心理司，保育士，精神科医などを配置して，相談，調査，判定，指導，一時保護，措置を行い，巡回相談も実施します。また，児童および妊産婦の福祉に関する関係機関との連絡調整も大事な業務です。

相談内容は障害相談，育成相談（しつけや性格行動，不登校等），養護相談（保護者の病気や家出，被虐待児等），非行相談などに分類されています。このうち，2020（令和２）年度では，虐待相談の増加を反映

■図６－９　児童相談所における相談内容別受付件数の年度別推移

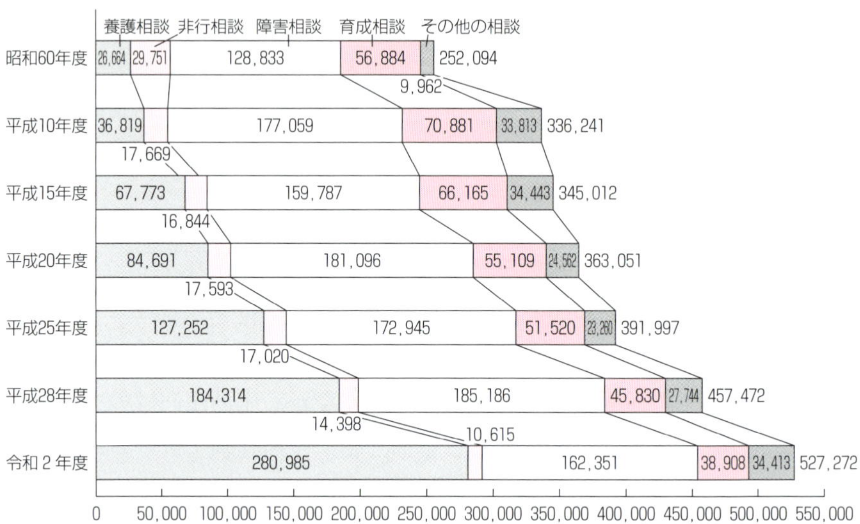

資料：厚生労働省「福祉行政報告例」より作成

して，養護相談が53.3％と半数に達しており，次いで障害相談が34.8％となっています。また，分類しきれない相談，つまりさまざまな問題が重なって複雑化している相談内容も少なくないことを理解しておきましょう。

これをふまえ，虐待問題への対応のため児童相談所の機能が強化されました。2007（平成19）年には児童の安全確認のための自宅の解錠と立ち入り調査を行う強い権限が認められました。また，虐待通告がなされた際には安全確認を48時間以内に行うルールが定められるなど，取組みが強められました。

社会保障審議会児童部会の「児童虐待対策のあり方に関する専門委員会報告書」(2015（平成27）年）では，過去７年にわたる虐待死の検証結果をふまえ，妊娠期からの切れ目ない支援や子育て相談への対応体制，虐待通告義務の強化，要保護児童対策地域協議会の機能強化の取組みなど，さらなる虐待防止策が提言されました。

■図６－10　子ども家庭支援の系統図

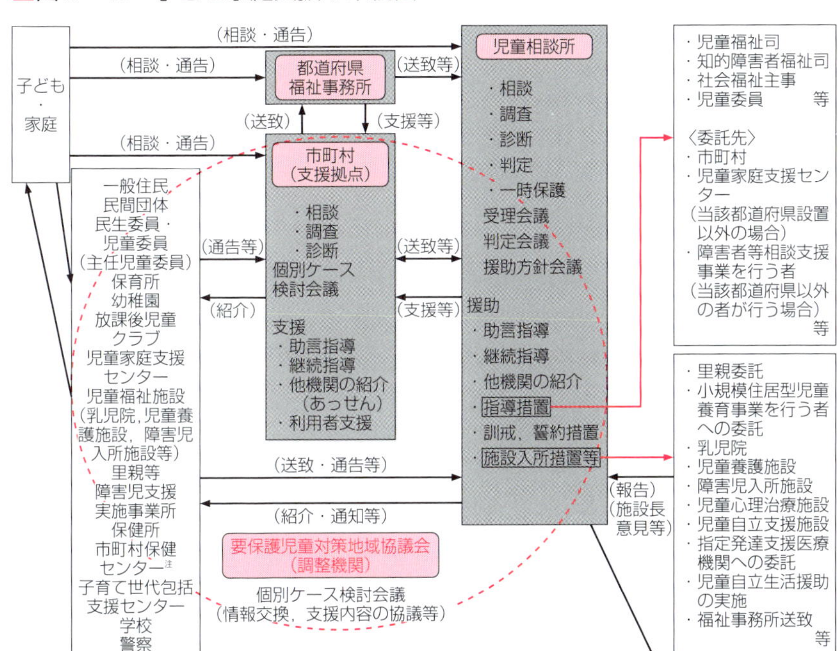

注：市町村保健センターについては，市町村の子ども家庭相談の窓口として，一般住民等からの通告等を受け，支援業務を実施する場合も想定される。
資料：平成29年３月31日雇児発0331第47号「市町村子ども家庭支援指針（ガイドライン）について」

さらに，「児童虐待防止対策の抜本的強化について」（2019（平成31）年閣議決定）においては，児童相談所の設置[9)]の推進と対応体制の強化が図られました。たとえば，一時保護など介入的な職務と子どもや家族に寄り添う相談を行う職務を同一職員が担当することは職務間の矛盾があることから，これらを分けていくことや，緊急性の高い案件に即応できるよう，職員増員や待遇改善なども示されました。児童相談所の役割は

9）**児童相談所の設置**　中核市や特別区が児童相談所を設置できるよう，管轄区域の基準を変更し，設置を促進することとなった。

急速に重要性を増しています。

奪われた命は戻りません。その死を悼み，改善に向けた努力を続けなくてはなりません。

⑵　地域の相談拠点としての児童家庭支援センター

児童家庭支援センターは児童福祉施設の一つで，専門的な相談支援の機能を有しています。夜間や緊急時の対応を行う必要があるため，乳児院や児童養護施設，母子生活支援施設などに併設されています。虐待の増加や家族の問題の深刻化に少しでも歯止めをかけるため，身近な地域にある相談拠点が果たす役割はきわめて重要です。

⑶　福祉事務所の役割

福祉事務所には家庭児童相談室が設置されています。児童家庭に関する相談体制の強化のもとで，児童家庭相談に応じる市等の福祉事務所は身近な地域での相談支援の役割を担い，都道府県の福祉事務所は児童相談所とともに町村の後方支援や，より専門的な相談を担うことが想定されています。また，助産施設，母子生活支援施設への入所措置や要保護児童の通告や送致を受けた場合の支援や指導等も行っています。

5　児童福祉施設

児童福祉施設は，児童福祉法第7条に規定されています。子どもの養育的機能と教育的機能，治療的機能のような専門的機能に加えて，地域社会に対して働きかけて子どもの福祉の向上に寄与する社会的機能も強く求められるようになってきています。

児童家庭支援センターはもちろんですが，保育所等で実施される地域子育て支援拠点事業は身近な地域社会において子どもや家族を支援する重要な役割を果たしています。

児童福祉施設の体系や機能，地域との関係の強化にともない，そこに従事する職員に求められる役割や専門性にも変化がみられます。

たとえば，保育所をはじめ児童福祉施設で働く保育士は，子どもに対する保育の役割にとどまらず，保護者や家族全体に働きかけたり，地域社会との関係を築くソーシャルワークの役割が求められるようになってきています。児童虐待防止対策の抜本的な強化の一つとして，子ども家庭福祉に従事する者の資格や養成のあり方についても検討されています。

6 豊かな子ども時代とは

児童家庭福祉の主眼は「豊かな子ども時代」を保障することにあります。国の進めている施策は，少子高齢化のさらなる進行や生産力の停滞に対する危機意識に根ざしており，達成目標を定めた積極的な支援計画の策定などは，国力の低下や社会保障の枠組みの崩壊に対する予防策の性格も有していると思われます。

児童家庭福祉は，本来は，子どもや家族が豊かな心で生活できる社会づくりを導き出す力にならなくてはなりません。豊かな子ども時代を過ごせることが豊かな自己実現につながり，ひいては生涯における幸せにつながり，結果としてより良い社会の構築を導くという考え方を常に念頭におくことが大切です。子どものための施策はより良い社会づくりへのかけ橋です。

改めて考えてみれば，どのような時代でも，大人は子どもに，豊かな子ども時代を過ごさせたいと願うことでしょう。

では，豊かな子ども時代とはどのようなことを意味するのでしょうか。それは，基本的人権が当たり前のこととして守られ，個々の児童が人間として尊重され，愛情をそそがれることのできる時代です。さらに，歴史と文化の息づいた地域社会で，多様な世代の多様な人々のなかで育まれることも，子ども時代を真に豊かにする大切な条件といえるでしょう。

■表6－3　児童福祉施設

施設の種類	種別	入(通)所・利用別	設置主体	施設の目的と対象者
助産施設 （児福法36条）	第2種	入所	都道府県 市町村　届出 社会福祉法人 その他の者　認可	保健上必要があるにもかかわらず，経済的理由により，入院助産を受けることができない妊産婦を入所させて，助産を受けさせる。
乳児院 （児福法37条）	第1種	入所	同上	乳児（保健上，安定した生活環境の確保その他の理由により特に必要のある場合には，幼児を含む）を入院させて，これを養育し，あわせて退院した者について相談その他の援助を行う。
母子生活支援施設 （児福法38条）	第1種	入所	同上	配偶者のない女子またはこれに準ずる事情にある女子およびその者の監護すべき児童を入所させて，これらの者を保護するとともに，これらの者の自立の促進のためにその生活を支援し，あわせて退所した者について相談その他の援助を行う。
保育所 （児福法39条）	第2種	通所	同上	保育を必要とする乳児・幼児を日々保護者のもとから通わせて保育を行う。
幼保連携型認定こども園 （児福法39条の2）	第2種	通所	同上	義務教育およびその後の教育の基礎を培うものとしての満3歳以上の幼児に対する教育および保育を必要とする乳児・幼児に対する保育を一体的に行い，これらの乳児または幼児の健やかな成長が図られるよう適当な環境を与えて，その心身の発達を助長する。
児童館 （児福法40条） 小型児童館，児童センター，大型児童館A型，大型児童館B型，大型児童館C型，その他の児童館	第2種	利用	同上	屋内に集会室，遊戯室，図書館等必要な設備を設け，児童に健全な遊びを与えて，その健康を増進し，または情操を豊かにする。
児童遊園 （児福法40条）	第2種	利用	同上	屋外に広場，ブランコ等必要な設備を設け，児童に健全な遊びを与えて，その健康を増進し，または情操を豊かにする。
児童養護施設 （児福法41条）	第1種	入所	同上	保護者のない児童（乳児を除く。ただし，安定した生活環境の確保その他の理由により特に必要のある場合には，乳児を含む），虐待されている児童その他環境上養護を

施設の種類	種別	入（通）所・利用別	設置主体	施設の目的と対象者
				要する児童を入所させて，これを養護し，あわせて退所した者に対する相談その他の自立のための援助を行う。
障害児入所施設 （児福法42条） （福祉型） （医療型）	第１種	入所	都道府県 市町村　届出 社会福祉法人 その他の者　認可	障がい児を入所させて，保護，日常生活の指導，独立自活に必要な知識技能の付与および治療を行う。
児童発達支援センター （児福法43条） （福祉型） （医療型）	第２種	通所	同上	障がい児を日々保護者のもとから通わせて，日常生活における基本的動作の指導，独立自活に必要な知識技能の付与または集団生活への適応のための訓練および治療を提供する。
児童心理治療施設 （児福法43条の２）	第１種	入所 通所	同上	家庭環境，学校における交友関係その他の環境上の理由により社会生活への適応が困難となった児童を，短期間，入所させまたは保護者のもとから通わせて，社会生活に適応するために必要な心理に関する治療および生活指導を主として行い，あわせて退所した者について相談その他の援助を行う。
児童自立支援施設 （児福法44条）	第１種	入所 通所	国・都道府県 市町村　届出 社会福祉法人 その他の者　認可	不良行為をなし，またはなすおそれのある児童および家庭環境その他の環境上の理由により生活指導等を要する児童を入所させ，または保護者のもとから通わせて，個々の児童の状況に応じて必要な指導を行い，その自立を支援し，あわせて退所した者について相談その他の援助を行う。
児童家庭支援センター （児福法44条の２）	第２種	利用	都道府県 市町村　届出 社会福祉法人 その他の者　認可	地域の児童の福祉に関する各般の問題につき，児童に関する家庭その他からの相談のうち，専門的な知識および技術を必要とするものに応じ，必要な助言を行うとともに，市町村の求めに応じ，技術的助言その他必要な援助を行うほか，保護を要する児童またはその保護者に対する指導および児童相談所等との連携・連絡調整等を総合的に行う。

出典：厚生労働統計協会編『国民の福祉と介護の動向 2017/2018』2017年（p.320より作成）

地域という空間と，世代という時間を交差させて私たちに示してくれる力，ないしは空間と時間の交わりを創り出す，素晴らしい力を子どもはもっています。児童福祉文化は，児童文化財を「鑑賞」させる方式で子どもたちに伝えられてきましたが，それだけにとどまらずに，「体験」や「表現」の方法をもってみずからの体と心を解放し，児童福祉文化を子どもたちが創造していくという視点を取り入れる必要があるのではないでしょうか。

たとえば，高齢者と子どもが互いに伝え合いながら共通の歌や遊びを覚え，それを一緒に楽しんでいるとき，「とき」は一瞬止まり，時間の無限性を感じさせる，不思議な魅力に満ちています。生命の鎖がつながっていく，このような「とき」の体験は，人間が成長し，生きるエネルギーの源です。

こうした体験の気づきと感受は，おそらく時間の流れをゆっくりしたものへと変容させ，現代社会を多忙感から解放して，私たち大人の社会をつくり変える力を生み出してくれることでしょう。

第7章 障がい者の自立と福祉

Point

◆国連で「障害者の権利に関する条約」が採択され，日本も批准に向けて，「障害者基本法」の改正をはじめ，法整備を進めてきました。
◆WHOは，障がいを機能障がいの分類ではなく，あらゆる人間を対象とする生活機能の状態を分類する定義（ICF）を示しました。障がいをマイナスとしてとらえないという考え方は障がいの正しい理解と差別の解消にとって重要です。十分理解しましょう。
◆「障害者総合支援法」によって，日本の障がい者保健福祉施策は新しい時代を迎えています。その内容を学びましょう。
◆障がい者が，就労や文化活動などさまざまな場面で社会の一員として，ごく普通に暮らし続けられるような社会は，障がいのない人々にとっても暮らしやすい社会です。そうした共生社会を目指していくことが大切です。

1 障がいの理解と差別解消への歩み

(1) 障がいの定義とその変遷

障がいの概念と定義は，時代とともに変化してきました。

1980年，国際障害者年[1)]（1981年）に先立ち，WHO（世界保健機関）は国際障害分類（ICIDH[2)]）を定め，障がいを病気ではなく「個性の一部」

1）国際障害者年　国連第31回総会で1981年を国際障害者年（International Year of Disabled Persons）とすることを決議し，日本も「国際障害者年長期行動計画」を策定した。
2）ICIDH　International Classification of Impairments, Disabilities and Handicaps

ととらえることを念頭に，医学的レベルでの機能障がい（Impairment），生活レベルでの能力障がい（Disability），社会レベルでの社会的不利（Handicap）に分けて定義しました。これによれば，機能障がいが，普通（ノーマル）とみなされる方法での活動の遂行に影響し，年齢や性別，社会的・文化的要素ともあいまって，個人の不利を生じさせる，と理解されます。

これに対し2001年の改訂において，WHOは国際生活機能分類（ICF[3]）を提示しました。“Impairment”は“Body Functions and Structures”へ，“Disability”は“Activities”へ，“Handicap”は“Participation”へ改められ，生活上の障がいが環境因子次第で肯定的な方向にも否定的な方向にもなるという考え方を明確に示したのです。

ICFでは，心身機能レベルで診断された障がいの種別や程度にとらわれすぎず，環境との相互関係において障がいをとらえます。障がい者の生活の不利さは，公的な支援制度の整備状況や物理的な環境，障がいに対する社会の理解とその浸透度など，障がい者の参加や活動への肯定的環境の成熟度に大きな影響を受けるからです。

このような視点に立つと，社会福祉の諸制度や諸活動は，機能障がいの度合いを不利の大きさに直結させることのないよう，個々の障がい者が選択する人生と自立を支援するとともに，社会の環境整備や意識改革によって，さまざまなバリアを取り除いていく重要性が理解できます。

⑵　障害者の権利に関する条約における障がい者理解の深まり

国連は「知的障害者の権利宣言」(1971年)，「障害者の権利宣言」(1975年)，「障害者に関する世界行動計画[4]」(1982年）などの採択を通じ，障がいの概念の正しい理解を広め，障がい者の権利の確立を目指してきまし

3）ICF　International Classification of Functioning, Disability and Health

4）障害者に関する世界行動計画　障がいの予防，リハビリテーションならびに障がい者の社会生活と社会の発展への「完全参加」と「平等」という目標実現のために，国連が示した行動計画。

Column ICIDHとICFの違い

ICIDHの障がいモデル

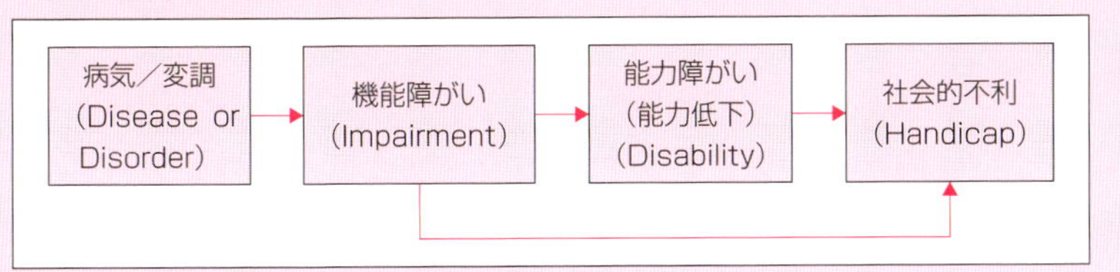

ICFの構成要素間の相互作用

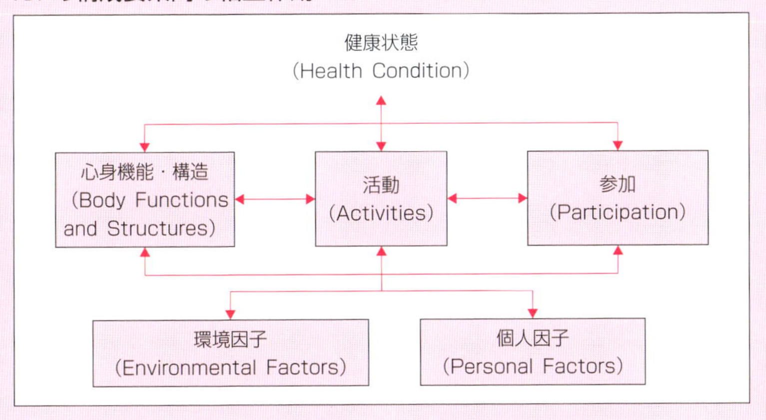

ICIDHでは，障がいを「機能障がい」「能力障がい（能力低下）」「社会的不利」の三つに分け，「病気／変調」が原因となって「機能障がい」「能力障がい」が起こり，それが「社会的不利」を引き起こすという直線的な関係を表していました。

それに対し，ICFでは，それまでICIDHで「病気／変調」とされていたものを「健康状態」と置き換え，「活動」を中心に，それぞれの要因が相互に作用し合っているとしました。また，障がいが発生する要因として，「環境因子」「個人因子」を加えたのも大きなポイントといえます。つまり，障がいが発生する原因を病気や変調に限定するのではなく，さまざまな要因が作用し合っているとしたのです。

た。2002（平成14）年に障害者の権利に関する条約[5)]（障害者権利条約）の成文化が着手され，2008（平成20）年５月に発効しました。

この条約では障がい者の人権を再確認するとともに，障がいは他の者と平等に社会に完全かつ効果的に参加することを妨げる要因によって生ずる，という障がいの概念，障がい者の自立と自律への認識の必要性，地域社会に潜在的に貢献している存在としての障がい者の存在意義にも言及し，あらゆる権利の保障と政府の義務が記されました。障がいのある当事者が条文作成に参加した点でも特筆される条約です。

⑶　障がい者の差別解消を目指した法整備

日本は，2007（平成19）年に「障害者権利条約」に署名し，条約で認められている障がい者の権利を実現するための法律や行政措置等を整備して，批准の準備を進めました。その一つが，2011（平成23）年の「障害者基本法」の改正です。これにより，障がいを理由とする差別の禁止ならびに社会的障壁の除去，差別禁止に違反する行為防止とそのための啓発等を図るため，国が情報収集，整理，提供を行うことが明示されました。国際的協調のもとでこれを推進することも定められています。

さらに，2013（平成25）年６月には，「障害を理由とする差別の解消の推進に関する法律（障害者差別解消法）」が成立し，「障害者の雇用の促進等に関する法律（障害者雇用促進法）」の改正も行われ，障がい者の権利の保障は前進し，条約の批准に近づくことができました。そして，2014（平成26）年１月，これらの法整備を受け，条約批准に至りました。締約国として，施策の進展もいっそう進むことが期待されます。

5）障害者の権利に関する条約　Convention on the Rights of Persons with Disabilitiesの外務省訳。略称は「障害者権利条約」

差別の禁止（障害者基本法　第４条第１項）

（旧）心身障害者対策基本法（平成５年題名改正）
昭和45年法律84
最終改正　平成25年法律65

（差別の禁止）
第４条　何人も，障害者に対して，障害を理由として，差別することその他の権利利益を侵害する行為をしてはならない。

障害者差別解消法は2016（平成28）年に施行され，障害者基本法に示された理念に基づき，障がいを理由とする差別等の権利侵害行為の禁止ならびに社会的障壁の除去を進めるための合理的配慮に関し，国，地方公共団体等の果たすべき責務とその基本方針が定められています。施行から３年を機に，2021（令和３）年には改正されました。改正により，事業者による社会的障壁の除去の実施と合理的配慮を努力義務から配慮義務へと改めるとともに，障がいを理由とする相談への適切な対応を可能とする人材育成や確保，地方公共団体が地域における差別や解消の取組みに関する情報収集や提供に努めることなど，差別解消の推進が強化されました。

既に一部の自治体では，障がい者の差別禁止や権利擁護を目的とする条例が制定されています。千葉県の「障害のある人もない人も共に暮らしやすい千葉県づくり条例」(2006年）が日本で最初に制定され，これに続き，北海道（2009年），岩手県（2010年），さいたま市（2011年），熊本県（2011年），八王子市（2011年），長崎県（2013年）がそれぞれ独自の名称や内容で制定しました。2021（令和３）年３月現在，都道府県，政令指定都市，中核市，一般市，さらに町村の計104団体が独自の条例を策定しており，障がいを理由とする差別の解消への取組みが進められています。

国や自治体の積極的な取組みは民間事業者ならびに市民への理解の浸透にとって不可欠です。

目的（障害者差別解消法　第１条）

（目的）

第１条　この法律は，障害者基本法（昭和45年法律第84号）の基本的な理念にのっとり，全ての障害者が，障害者でない者と等しく，基本的人権を享有する個人としてその尊厳が重んぜられ，その尊厳にふさわしい生活を保障される権利を有することを踏まえ，障害を理由とする差別の解消の推進に関する基本的な事項，行政機関等及び事業者における障害を理由とする差別を解消するための措置等を定めることにより，障害を理由とする差別の解消を推進し，もって全ての国民が，障害の有無によって分け隔てられることなく，相互に人格と個性を尊重し合いながら共生する社会の実現に資することを目的とする。

2　日本における障がい者の概況

(1)　障がい者の概況

日本では，ICFの考え方をふまえ，障害者基本法において障がい者を次のように定義しています。

専門的な判定の結果，障がいの種類や等級が認定されると「障害者手

定義（障害者基本法　第２条）

（定義）

第２条　この法律において，次の各号に掲げる用語の意義は，それぞれ当該各号に定めるところによる。

一　障害者　身体障害，知的障害，精神障害（発達障害を含む。）その他の心身の機能の障害（以下「障害」と総称する。）がある者であって，障害及び社会的障壁により継続的に日常生活又は社会生活に相当な制限を受ける状態にあるものをいう。

二　社会的障壁　障害がある者にとって日常生活又は社会生活を営む上で障壁となるような社会における事物，制度，慣行，観念その他一切のものをいう。

■表７－１　日本の障がい者数

（単位：千人）

<table>
<tr><td colspan="3">障害者手帳所持者</td><td>5,594</td></tr>
<tr><td rowspan="15">障害者手帳の種類
（複数回答）</td><td rowspan="5">身体障害者手帳</td><td>18歳未満</td><td>68</td></tr>
<tr><td>18歳以上65歳未満</td><td>1,013</td></tr>
<tr><td>65歳以上</td><td>3,112</td></tr>
<tr><td>年齢不詳</td><td>93</td></tr>
<tr><td>合計</td><td>4,287</td></tr>
<tr><td rowspan="5">療育手帳</td><td>18歳未満</td><td>214</td></tr>
<tr><td>18歳以上65歳未満</td><td>580</td></tr>
<tr><td>65歳以上</td><td>149</td></tr>
<tr><td>年齢不詳</td><td>18</td></tr>
<tr><td>合計</td><td>962</td></tr>
<tr><td rowspan="5">精神障害者保健福祉手帳</td><td>20歳未満</td><td>18</td></tr>
<tr><td>20歳以上65歳未満</td><td>576</td></tr>
<tr><td>65歳以上</td><td>214</td></tr>
<tr><td>年齢不詳</td><td>33</td></tr>
<tr><td>合計</td><td>841</td></tr>
<tr><td colspan="3">障害者手帳非所持かつ自立支援給付等を受けている者 1)</td><td>338</td></tr>
</table>

注１：例えば，精神障害者保健福祉手帳を所持していないが，精神科医療機関に通院している者。
資料：厚生労働省「平成28年生活のしづらさなどに関する調査（全国在宅障害児・者等実態調査）結果の概要」より作成

■表７－２　障がいの種類別にみた身体障害者手帳所持者数

（単位：千人）

	総数	視覚障害	聴覚・言語障害	肢体不自由	内部障害	不詳
平成28年	4,287 (100.0)	312 (7.3)	341 (8.0)	1,931 (45.0)	1,241 (28.9)	462 (10.8)

資料：厚生労働省「平成28年生活のしづらさなどに関する調査（全国在宅障害児・者等実態調査）結果の概要」より作成

帳」が交付され，各種の公的サービスや費用の減免などを受けることができます。2016（平成28）年の厚生労働省「生活のしづらさなどに関する調査（全国在宅障害児・者等実態調査）」では全国に559.4万人の障害者手帳の所持者がいると推計されています。

⑵　身体障がい者

身体障害者福祉法では，身体障害者福祉法施行規則に定められた「身体障害者障害程度等級表」に掲げる身体上の障がいがある18歳以上の者で，「身体障害者手帳」の交付を受けたものを身体障がい者としています。

前掲の調査によれば，2016（平成28）年の身体障害者手帳の保持者数は，約428.7万人と推計されています。

身体障がい者（18歳以上）の障がいの種類では，歩行や動作などに不自由がある「肢体不自由」が45.0％と半数近くを占めています。音を聞くことや言語を発することに不自由のある「聴覚･言語障害」が8.0％，ものを見ることに障がいのある「視覚障害」が7.3％，心臓や腎臓など内臓に障がいがある「内部障害」は28.9％となっています。

障がいの度合いは，ADL[6]（日常生活動作能力）によって判定されます。おおむね「身体障害者手帳」の１級・２級所持者が「重度」とされています。

身体障害者手帳の所持者のうち，生活のしづらさを毎日感じる人は65歳未満では40.6％，65歳以上では43.1％となっています。

⑶　知的障がい者

法律上，「知的障がい[7]」の定義はなく，知的発達が年齢相応ではない

６）ADL　日常生活動作能力（Activities of Daily Living）とは，歩行，食事，排泄，衣服の着脱，入浴等の基本的な生活動作を行う能力のこと。どの程度自力でできるかを評価し，問題点や改善可能な点を発見するための基準として用いられる。

７）知的障がい　厚生労働省「知的障害児（者）基礎調査」によると，「知的機能の障害が発達期（おおむね18歳まで）にあらわれ，日常生活に支障が生じているため，何らかの特別の援助を必要とする状態にあるもの」と定義されている。

ため身辺処理や集団生活への参加などに困難をともない，日常生活や社会生活に支援を必要とする人を知的障がい児・者としています。

前掲の厚生労働省の調査では，在宅の知的障がい児・者は96.2万人で，前回（2011（平成23）年）に比べ，実数で約34万人増となっています。施設入所者（児）は12.0万人で計約108.2万人です。

少し古い資料になりますが，2005（平成17）年の「知的障害児（者）基礎調査」によれば，在宅者（児）の障がいの度合いでは「重度」24.4%，「中度」25.5%，「軽度」23.3%，在宅での介護に困難が予想される「最重度」は14.9%です。

また，生活の場は「自分の家やアパート」が85.7%で大半を占めていますが，わずかながら，「グループホーム」の比率が増えてきています。将来の希望として「親と暮らしたい」「兄弟姉妹と暮らしたい」人の比率（38.5%）と「施設で暮らしたい」人の比率（7.5%）では，「ひとりで」または「グループホームで」暮らしたいと希望する人が増える傾向があります。今後は地域での開かれた生活の場の充実が望まれます。

なお，知的障がい者に交付される「療育手帳」を91.0%が所持しています。また17.1%は「身体障害者手帳」をあわせて所持しており，知的障がいと身体障がいをあわせもつ重複障がいがあることがわかります。

(4)　発達障がい者

自閉症や学習障がいのように，知的障がいとは異なる脳機能の障がいを有する子どもたちの存在が明らかになり，必要な配慮についても解明が進められてきました。そして2004（平成16）年，発達障害者支援法が成立しました。2016（平成28）年6月，同法が大幅に改正され，目的には，切れ目ない支援やすべての国民の共生する社会の実現が盛り込まれました。定義には社会的障壁による生活のしづらさについて加えられるとともに，自らの生活を選択する機会の保障という基本的理念が明記されました。社会的な障壁の強い影響をふまえた総合的改正といえます。

発達障害者支援法

平成16. 12. 10　法律167
最終改正　平成28年法律64

（定義）
第２条　この法律において「発達障害」とは，自閉症，アスペルガー症候群その他の広汎性発達障害，学習障害，注意欠陥多動性障害その他これに類する脳機能の障害であってその症状が通常低年齢において発現するものとして政令で定めるものをいう。
2　この法律において「発達障害者」とは，発達障害がある者であって発達障害及び社会的障壁により日常生活又は社会生活に制限を受けるものをいい，「発達障害児」とは，発達障害者のうち18歳未満のものをいう。

⑸　精神障がい者

「精神保健及び精神障害者福祉に関する法律（精神保健福祉法）」では，精神障がい者は「統合失調症，精神作用物質による急性中毒又はその依存症，知的障害，精神病質その他の精神疾患を有する者」と定義されています。精神障がい者の認定を受けると「精神障害者保健福祉手帳」が交付されます。なお，2011（平成23）年には精神障害者保健福祉手帳の障害等級の判定基準に，発達障がいが加えられています。

2017（平成29）年の「患者調査」によると，精神障がい者は全国で約419.3万人と推計されています。そのうち，精神科病院に入院している人が約30.2万人です。

精神障がいのある人は，心の働きが円滑でないために社会生活に困難をきたしやすく，周囲の理解をなかなか得られません。国際的にみると，精神障がいを心身の障がいと同様の障がいととらえている国々が多いのですが，日本ではそのように位置づけてこなかったため，福祉施策の整備がほかの障がい者施策に比して立ち遅れてきました。このことも，精神障がいに対する理解を遅らせてきた要因となっています。

高次脳機能障がい[8]もまた，社会生活に支障をもたらす場合が多い障がいです。外見上は障がいに原因があることがわかりづらく，周囲から理解されずに本人も家族もつらい思いをしています。

精神障がいのある人々は，障がいによる生活のしづらさだけでなく，周囲に理解されないという心の壁によって孤立感が強まり，そのことから生活への支障をきたしやすい立場にあります。そうした人々の痛みや悲しみを受け止め，コミュニティの一員として共に生きられる社会を実現していける精神障がい者保健福祉施策が望まれます。

3 障がい者（児）の生涯保障の理念

障がいのある人々が生き生きとより良く暮らしていくためには，子ども時代から人生の各時期の生活課題への対応が切れ目なく行われる必要があります。

児童期には，心身の障がいの早期発見とそれに続く早期療育や保育・教育，そして，障がい児を新しい一員として迎え入れた家族への支援が必要となります。幼児期には，楽しい療育プログラムのもとで自立と可能性の広がりをうながしながら，集団生活での成長を導き出し，将来の生活のあり方を模索していきます。他方，家族の混乱や不安を軽減できるよう支援していくことも大切です。たとえば，障がいが本人の生活にどのような影響を及ぼすか，また，将来的にはどのような制度やサービスが整えられているのか，など，具体的かつ客観的な知識を提供することも不安の軽減につながります。親や家族だけで対応しようとすることは，障がい者本人だけでなく，家族の孤立を招きかねません。ソーシャルインクルージョンの観点に立って，地域社会の一員としてつながりを

8）**高次脳機能障がい**　外傷性脳損傷や脳血管障がいなどにより脳に損傷を受け，その後遺症などとして生じた記憶障がいや注意障がい，社会的行動障がいなどの認知障がいなどによって，日常生活や社会生活に制約がある状態をいう。精神科領域で器質性精神障がいという診断項目に位置づけられ，精神障害者保健福祉手帳の対象となっている。

深めることが支援において重要です。

就学後は学校生活が中心となりますが，身近な地域の人々との交流や生活訓練などを通じて，将来，地域に根づいた生活をしていくための準備を始めたい時期です。

思春期を経て青年期に入る時期には，社会生活の準備も必要となり，18〜20歳の成人を迎える時期には，就労の可能性，経済的な自立の見通し，生活面の自立や親もとからの自立の可能性を探り，日々の過ごし方や将来の生活設計を考えることが課題となります。その人にふさわしい居場所が見つかること，本人や家族が希望するなら地域で生活ができることが理想です。

壮年期は障がいの状況によっては，医療や介護，家事，移動のサービスなどきめ細かなサービスが必要とされます。それらを安定的に確保することができるような制度の整備と，より適切な生活設計につながる相談支援が，障がい者や家族に着実に届けられることが必要です。また，親の加齢にともなって，将来への不安が増し，「親亡き後問題」が大きくなります。必要なサービスを活用しながら，無事に幸せな生涯をおくってほしいという家族の願いにこたえるに十分な福祉の水準に，日本はまだ達していません。

このことは，障がい者が老年期を迎えたときの過ごし方にもかかわります。慣れ親しんだ環境のもとで生活を継続でき，老年期を豊かに過ごし，生涯を全うすることは障がい者の権利です。

障がい者の生活課題について，生涯にわたり途切れることなく対応できる総合的な障がい者保健福祉施策の構築が強く求められています。障がい者の心身機能の不足をどう補充するか，という視点ではなく，一人の人間が地域社会の一員として生活していくという視点で見直してみると，心身の障がいがあると自立できない，と決めてかかることが，自立の可能性をつみ取ってしまうという問題点がみえてきます。

体験の広がりや人間関係の形成，生活面の自立，就労の喜び，地域社会での社会活動参加，生きがいの発見など，その人らしい生活を楽しめることが障がい者保健福祉の理想です。障がい者やその支援に携わる人々の柔軟な発想が大きな力となり，障がい者の自由な人生，進学や就労，結婚や出産，子育て，社会活動，そして老いが当たり前になる時代がくることが期待されます。

Column 自立生活の思想

「自立生活」の概念というのは，非常に簡単なものです。すなわちそれは，障害をもっている人は選択する権利があるということです。（略）

「朝何時に起きるのか？」

「朝ごはんは何を食べるのか？」

「夜になったら，何時に床につくのか？」

「どういった友だちと仲良くなるのか？」

こういった簡単な事柄が「選択する権利」の一例と言えます。

出典：八代英太／冨安芳和編『ADAの衝撃』学苑社，1991年（p.13）

4 障がい者保健福祉施策による支援

(1) 障がい者保健福祉への展開

生涯にわたり切れ目ない，総合的な障がい児・者支援策の構築はたいへん重要です。日本では，長らく身体，知的，精神の障がい別，また，児童と成人などの年齢別の施設の設置を中心に施策が進められ，総合的な生活支援の構築は立ち遅れてきました。しかし，国際的動向にも触発され，20世紀末からは，少しずつ総合的な施策が展開されてきています。

障害者基本法の制定（1993（平成５）年）は建築物への配慮や移動しやすいまちづくりにつながるなど萌芽的役割を果たしました。社会福祉法の制定（2000（平成12）年）では，障がい者の通所施設が小規模（10

人以上）でも，また土地や建物が賃借でも，設立できるようになり，地域で活動しやすいように要件が緩和され，障害者基本法改正（2011（平成23）年）では，「地域社会における共生」や，「性別，年齢，障がいの状態及び生活の実態に応じて」障がい者の自立と社会参加のため支援策の有機的連携の総合的支援が明記されるなど，取組みが進んできました。

さらに，障害者自立支援法[9)]（2005（平成17）年）において，措置制度から契約・利用制度への転換が実施されました。しかし，サービス利用にともなう費用負担の妥当性が問われ，違憲訴訟が起こされました。国は障がい者制度改革推進本部（2009（平成21）年）を設置して集中的な改革を検討し，訴訟に対しては，法の廃止と新法制定などを含む内容で合意に至りました。基本合意書には「国（厚生労働省）は，憲法第13条，第14条，第25条，ノーマライゼーションの理念等に基づき，違憲訴訟を提訴した原告らの思いに共感し，これを真摯に受け止める」との一文があり，当事者および関係者の制度策定に対する参画の点で意義ある合意であり，障がい者の総合的な保健福祉施策への転換点でもあったということができるでしょう。

廃止となった同法に代わり，2013（平成25）年，障害者の日常生活及び社会生活を総合的に支援するための法律（障害者総合支援法）が施行され，障がいの有無にかかわらず地域社会で日常生活ならびに社会生活を営むことができるという理想に向けての努力が続けられています。

⑵　障がい者保健福祉の計画策定

総合的な支援策を充実させていくためには，計画的な進行が必要です。障害者基本法に基づいて国により策定される障害者基本計画があります。

9）**障害者自立支援法**　障がい者がサービス利用を自由に行う契約方式を採用したが，サービス量が多いほど費用負担が重くなる応益負担が所得の低い利用者の利用自粛を招く問題が発生した。

■表７－３　障害者基本計画

計画	期間	主な内容
第２次障害者基本計画	平成15～24年度	地域における自立生活と共生を基本として，地域生活支援の視点でのサービスや雇用，就労の機会の確保，障害者自立支援法のもとでの地域自立支援協議会の設置推進や各種サービスの充実，福祉施設から一般就労への移行推進などが掲げられた。
第３次障害者基本計画	平成25～29年度	「共生社会」の実現を基本理念として，日常生活，保健・医療，教育，文化芸術，スポーツ，雇用など各分野を横断する総合的かつ計画的取組みの推進が目標とされ，あらゆる場面で社会的障壁を除去し，共生社会を目指すことが明記された。
第４次障害者基本計画	平成30～令和４年度	共生社会の実現に向けて障がい者がみずからの決定に基づいて社会に参加し能力を最大限発揮し自己実現できるよう支援することを基本理念として，2020東京パラリンピックを契機に社会的障壁の除去の強力な推進，障害者権利条約の理念尊重，差別解消の取組みが基本的方向とされた。情報へのアクセシビリティの向上と意思疎通支援，災害の増加をふまえた防災や防犯等の推進などにも言及されており，地域での生活支援が重視されている。

障がい者施策の計画策定は，1982（昭和57）年，「国連・障害者の十年」の国内行動計画である「障害者対策に関する長期計画」，1993（平成５）年に「障害者対策に関する新長期計画[10)]」（平成５～14年度）にさかのぼることができます。その後の計画は表７－３のとおりです。

障害者総合支援法では，国が基本指針を定め，３か年ごとに市町村および都道府県が基本指針に沿った障害福祉計画[11)]を定めることが義務づけ

10）**障害者対策に関する新長期計画**　この計画を最初の障害者基本計画とし，次が第２次とされている。

11）**障害福祉計画**　障害者総合支援法第88条および第89条において都道府県および市町村に義務づけられた計画。

■図７－１　障がい者施策の動向

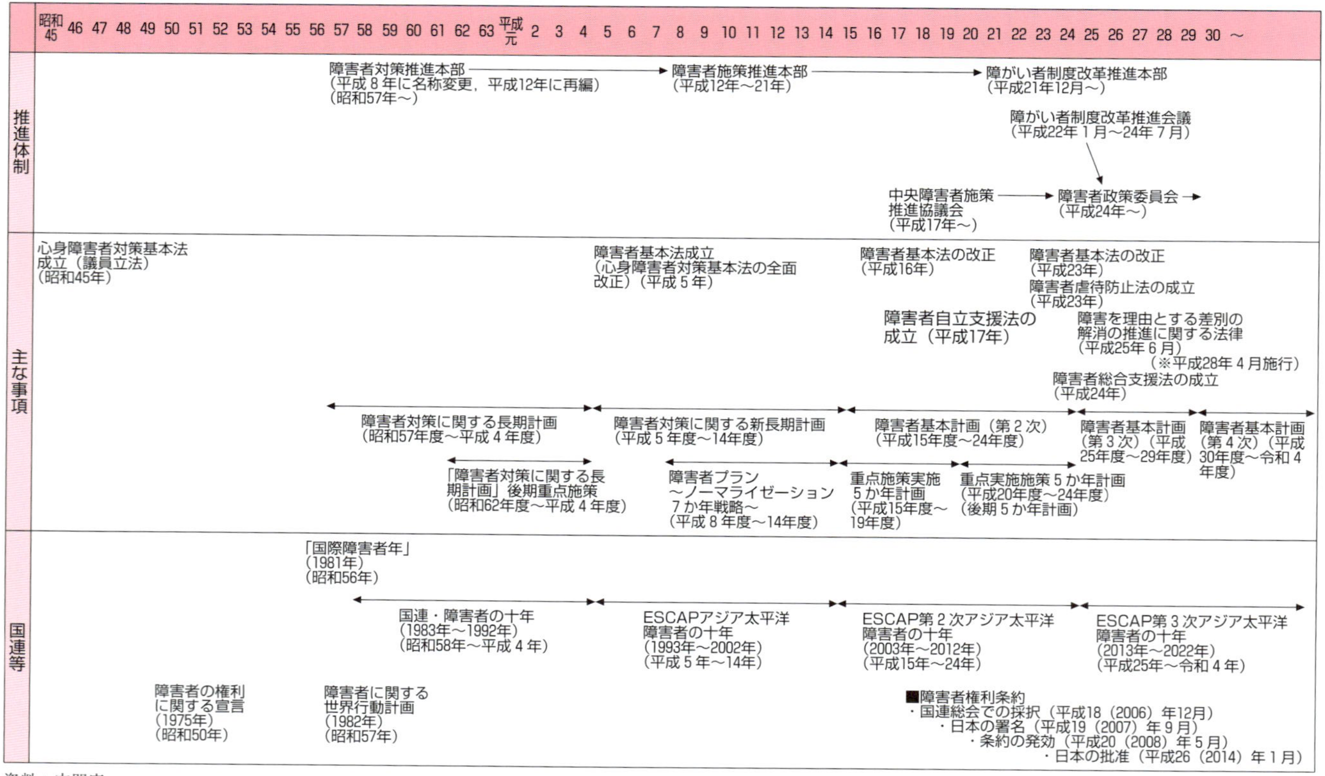

昭和45 46 47 48 49 50 51 52 53 54 55 56 57 58 59 60 61 62 63 平成元 2 3 4 5 6 7 8 9 10 11 12 13 14 15 16 17 18 19 20 21 22 23 24 25 26 27 28 29 30 ～

推進体制

障害者対策推進本部（平成８年に名称変更，平成12年に再編）（昭和57年～）→ 障害者施策推進本部（平成12年～21年）→ 障がい者制度改革推進本部（平成21年12月～）

障がい者制度改革推進会議（平成22年１月～24年７月）→ 障害者政策委員会

中央障害者施策推進協議会（平成17年～）→ 障害者政策委員会（平成24年～）→

主な事項

心身障害者対策基本法成立（議員立法）（昭和45年）

障害者基本法成立（心身障害者対策基本法の全面改正）（平成５年）

障害者基本法の改正（平成16年）

障害者自立支援法の成立（平成17年）

障害者基本法の改正（平成23年）

障害者虐待防止法の成立（平成23年）

障害を理由とする差別の解消の推進に関する法律（平成25年６月）（※平成28年４月施行）

障害者総合支援法の成立（平成24年）

←→ 障害者対策に関する長期計画（昭和57年度～平成４年度）

←→ 障害者対策に関する新長期計画（平成５年度～14年度）

←→ 障害者基本計画（第２次）（平成15年度～24年度）

←→ 障害者基本計画（第３次）（平成25年度～29年度）

←→ 障害者基本計画（第４次）（平成30年度～令和４年度）

←→ 「障害者対策に関する長期計画」後期重点施策（昭和62年度～平成４年度）

←→ 障害者プラン～ノーマライゼーション７か年戦略～（平成８年度～14年度）

←→ 重点施策実施５か年計画（平成15年度～19年度）

←→ 重点実施施策５か年計画（平成20年度～24年度）（後期５か年計画）

国連等

障害者の権利に関する宣言（1975年）（昭和50年）

「国際障害者年」（1981年）（昭和56年）

障害者に関する世界行動計画（1982年）（昭和57年）

←→ 国連・障害者の十年（1983年～1992年）（昭和58年～平成４年）

←→ ESCAPアジア太平洋障害者の十年（1993年～2002年）（平成５年～14年）

←→ ESCAP第２次アジア太平洋障害者の十年（2003年～2012年）（平成15年～24年）

←→ ESCAP第３次アジア太平洋障害者の十年（2013年～2022年）（平成25年～令和４年）

■障害者権利条約
- 国連総会での採択（平成18（2006）年12月）
- 日本の署名（平成19（2007）年９月）
- 条約の発効（平成20（2008）年５月）
- 日本の批准（平成26（2014）年１月）

資料：内閣府

出典：社会福祉の動向編集委員会編『社会福祉の動向2021』中央法規出版，2021年（pp.204－205）を一部改変

られています。いずれも定期的な検証と見直しが法定化され，障がい者や家族，関係者の意見を反映させることとされています。

2021（令和３）年度から2023（令和５）年度まで「第６期障害福祉計画」が進められています。その基本的な理念には，障がい者の自己決定の尊重や地域生活移行，市町村を基本とする身近な実施主体，障がい種別によらない一元的障害福祉サービスの実施等が掲げられ，具体的な成果目標には，たとえば地域生活支援拠点を2023（令和５）年度末までに各市町村または各圏域に１つ以上確保し，年１回以上運用状況を検証および検討するなどが定められています。

⑶　障害者総合支援法による生活支援

障害者総合支援法第１条の２では，障害者基本法を反映して支援を支える理念が明確化されています。「全ての国民が，障害の有無にかかわらず，等しく基本的人権を享有するかけがえのない個人として尊重される」との認識に立ち，障がいの有無によってではなく，「相互に人格と個性を尊重し合いながら共生する社会を実現する」ことを目指して，支援の活用による社会参加の確保や生活に関する選択の機会の確保，社会的な障壁の除去などを総合的，計画的に行う姿勢が示されています。

基本理念（障害者総合支援法　第１条の２）

平成17.11.7　法律123
最終改正　平成30年法律44

（基本理念）
第１条の２　障害者及び障害児が日常生活又は社会生活を営むための支援は，全ての国民が，障害の有無にかかわらず，等しく基本的人権を享有するかけがえのない個人として尊重されるものであるとの理念にのっとり，全ての国民が，障害の有無によって分け隔てられることなく，相互に人格と個性を尊重し合いながら共生する社会を実現するため，全ての障害者及び障害児が可能な限りその身近な場所において必要な日常生活又は社会生活を営むための支援を受けられることにより社会参加の機会が確保されること及びどこで誰と生活するかについての選択の機会が確保され，地域社会において他の人々と共生することを妨げられないこと並びに障害者及び障害児にとって日常生活又は社会生活を営む上で障壁となるような社会における事物，制度，慣行，観念その他一切のものの除去に資することを旨として，総合的かつ計画的に行わなければならない。

この法律による生活支援の特徴を５点に整理します。

① いわゆる「制度の谷間」をなくすために，障がい者の定義に新たに難病患者等を追加しました。難病患者は障がい者と同様の生活上の制約があるにもかかわらず，法律上は障がい者の範囲から除外されていたため，障がい福祉サービスを利用できなかった点が改善され，患者と家族の負担軽減につながりました。

② 障がい者が必要とする支援を判定するための基準は「障害支援区分」の名称とされました。障がいの「程度」が重いかどうかよりも，どのような支援がその人の生活をより良くしていくか，ということに着目した名称です。そこにはICFの障がいの定義において，「病気」や「変調」から「活動」や「参加」につながる支援の視点へと置き換えられたことが反映されています。

③ 障がい者に対する支援のうち，重度の肢体不自由者に限られていた訪問介護の対象に，重度の知的障がい者や重度の精神障がい者が加えられました。障がい種別ごとの縦割りとならない支援を目指したといえます。

④ 障がい者が日常生活や社会生活を営むうえでの障壁を除去するため，障がい者に対する理解を深める研修や啓発を行うこと，障がい者やその家族，地域住民が自発的に行う活動を支援すること，意思疎通支援を行う者を養成することなどが地域生活支援事業の必須事業に加えられました。ここにも，ICFの考え方，すなわち障がいを個人因子だけでとらえるのではなく，その人の生活は環境因子との相互作用によって変容可能な範囲が異なってくるという考え方が反

映されています。

⑤　サービス利用の自己負担額は，利用者の経済的な状況に応じた額とする応能負担となりました。このことは，当事者の主張が受け入れられた点で，日本の障がい者保健福祉の歴史にとって意義深いことです。障害者総合支援法は，2016（平成28）年に，児童福祉法の障害児支援に関する項目とあわせて改正され，就労の定着をうなが

■図７－２　主な自立支援給付と地域生活支援事業

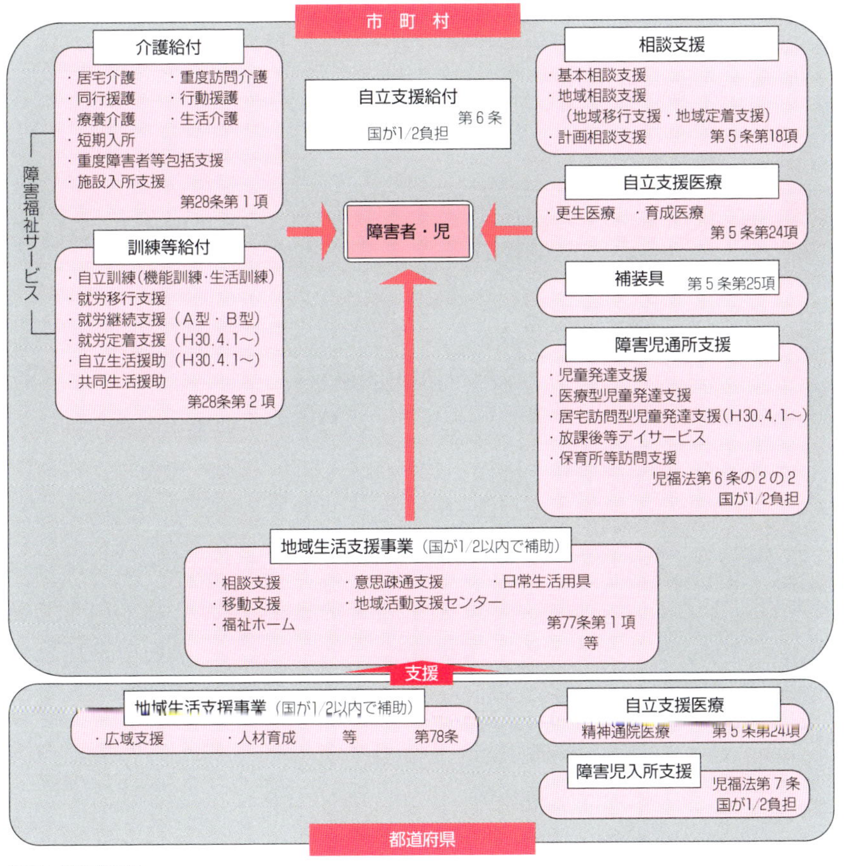

資料：厚生労働省
出典：内閣府編『障害者白書（令和２年版）』2020年（p.93を改変）

す「就労定着支援」や地域生活への移行を円滑に行えるようにするための「自立生活援助」など，新たな支援が創設されました。障がい児については，重度児への訪問型発達支援の創設，保育所等への訪問支援の拡大，障害児福祉計画の策定，医療的ケア児に対する支援強化などが定められ，両法律があいまって障がい児・者の地域での生活移行をうながす支援が進められています。

2021（令和3）年度には障害福祉サービス等の報酬改定が行われ，障がい児・者のサービス提供に関し，重度障害者支援加算の見直しや医療的ケア対応支援加算の新設をはじめ，これまでのサービスの提供効果への評価や今後の地域生活支援の拡大の方針を反映して，就労や地域生活への支援に力点がおかれた見直しとなっています。

5　障がい者が生き生きと暮らせる社会づくりを目指して

(1)　障がい者の経済的保障

基本的な生活を確保するための経済的保障は，最低生活保障として行われる社会保障制度に位置づけられます。日本の公的年金制度では「障害基礎年金」が定められ，国民年金に加入している間，または20歳前，もしくは60歳以上65歳未満で障がいのある状態となった人への経済的な保障が行われています。また，20歳以上の在宅の重度障がい者は障害基礎年金に加えて，「特別障害者手当」の受給が可能です。ほかにも20歳未満の障がい児・者を養育する父母等に支給される「特別児童扶養手当」や重度身体障がいまたは知的障がい児で常時の介護を必要とする人に支給される「障害児福祉手当」があります。

(2)　就労支援の拡充と課題

生活の経済的基盤となる保障だけでなく，就労や社会参加による自己実現をうながし，社会の一員としての誇りと生きがいをもって暮らせるよう支援することは重要な課題です。

障がい者の就労は一般就労と福祉的就労に大きく分けられます。一般就労を拡充する方策は障害者雇用促進法に定められています。障害福祉サービスを活用しながらといった働き方は「福祉的就労」と呼ばれ，障害者総合支援法に定められています。

①一般就労の拡充

障害者雇用促進法には「障害者雇用率制度」が定められています。古くは「身体障害者雇用促進法（現：障害者雇用促進法）」（1960（昭和35）年）において，身体障がい者を雇用者の1.5％とする努力義務から始まりました。やがて，法定義務化（1976（昭和51）年）され，以後，改正が重ねられて，適用される範囲も知的障がい，精神障がいへと拡大され，事業者の範囲も広げられました。比率の引き上げも続けられています。2021（令和３）年度には，常用労働者が43.5人以上の事業主に対し，民間企業では2.3％，国および地方公共団体では2.6％が法定義務化されました。雇用率を達成した企業は適用企業の48.6％（2020（令和２）年）です。雇用率を達成できない事業者には「障害者雇用納付金[12)]」を国庫に支払うことが義務づけられています。

また就労を継続できるよう，「職場適応援助者による支援事業（ジョブコーチ支援事業[13)]）」（2002（平成14）年）が定められています。ジョブコーチは支援計画に基づき，障がい者，職場の上司や同僚，家族等に対して就労継続のための相談助言や調整を行います。

12）**障害者雇用納付金**　障がい者雇用率を達成できない場合，雇用している障がい者数と法律上雇用すべき障がい者数の差に応じて納付しなくてはならない。障がい者の雇用促進に用いられる。

13）**ジョブコーチ支援事業**　ジョブコーチは1986年，アメリカで制度化され，日本での法制化は2002（平成14）年。全国の地域障害者職業センターのほか，都道府県や市町村，社会福祉法人などに配置されている。2005（平成17）年には「職場適応援助者助成金」の制度が創設され，拡充されている。主な役割は障がい者に対しては，円滑な人間関係の構築や的確な作業遂行のための支援，職場に対しては障がいの理解の促進や仕事内容，指導方法の改善への助言，家族に対しては関わり方の助言などである。

■図７－３　民間企業における障がい者の雇用状況（実雇用率と雇用されている障がい者の数の推移）

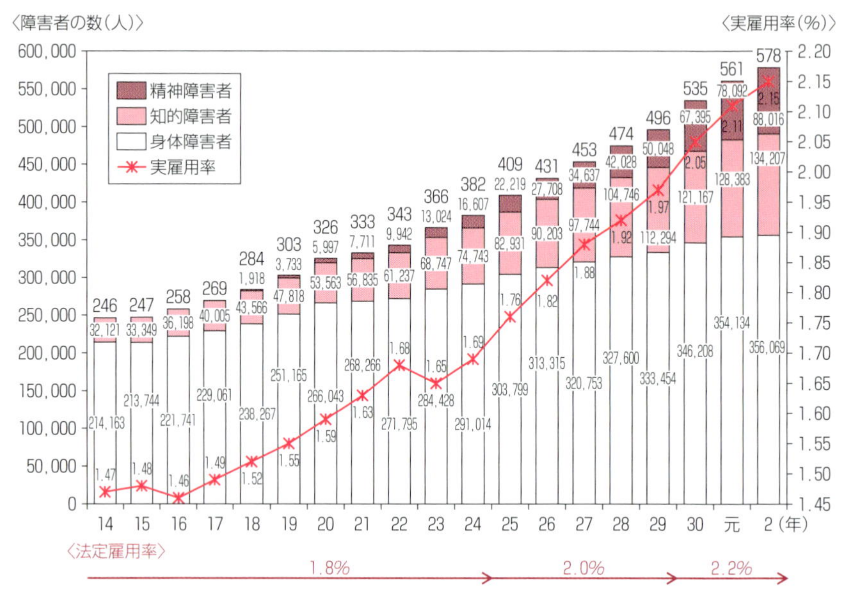

注１：雇用義務のある企業（平成24年までは56人以上規模，平成25年から平成29年までは50人以上規模，平成30年以降は45.5人以上規模の企業）についての集計である。

注２：「障害者の数」とは，次に掲げる者の合計数である。

平成17年まで
- 身体障害者（重度身体障害者はダブルカウント）
- 知的障害者（重度知的障害者はダブルカウント）
- 重度身体障害者である短時間労働者
- 重度知的障害者である短時間労働者

平成18年以降平成22年まで
- 身体障害者（重度身体障害者はダブルカウント）
- 知的障害者（重度知的障害者はダブルカウント）
- 重度身体障害者である短時間労働者
- 重度知的障害者である短時間労働者
- 精神障害者
- 精神障害者である短時間労働者（精神障害者である短時間労働者は0.5人でカウント）

平成23年以降
- 身体障害者（重度身体障害者はダブルカウント）
- 知的障害者（重度知的障害者はダブルカウント）
- 重度身体障害者である短時間労働者
- 重度知的障害者である短時間労働者
- 精神障害者
- 身体障害者である短時間労働者（身体障害者である短時間労働者は0.5人でカウント）
- 知的障害者である短時間労働者（知的障害者である短時間労働者は0.5人でカウント）
- 精神障害者である短時間労働者（※）（精神障害者である短時間労働者は0.5人でカウント）

※　平成30年以降は，精神障害者である短時間労働者であっても，次のいずれかに該当する者については，１人分とカウントしている。

①　通報年の３年前の年に属する６月２日以降に採用された者であること
②　通報年の３年前の年に属する６月２日より前に採用された者であって，同日以後に精神障害者保健福祉手帳を取得した者であること

注３：法定雇用率は平成24年までは1.8%，平成25年４月から平成29年までは2.0%，平成30年４月以降は2.2%となっている。

資料：厚生労働省「令和２年 障害者雇用状況の集計結果」

2019（令和元）年の障害者雇用促進法の改正では，障がいの種類に関係なく，国と地方公共団体が率先して雇用に努めることが明記されたほか，短時間就労の可能性を拡充するための事業主への特例給付金制度や，中小事業主の優良な取組みに関する認定制度なども創設されるなど，障がい者が一般就労へ参加する機会は拡大しています。

障害者総合支援法には，一般就労に結びつけるための「就労移行支援」，就業にともなう生活課題に対応する「就労定着支援」があり，就労機会の拡大を目指す支援が進められています。

②福祉的就労の充実と課題

健康状態が不安定である，生活に常時の介護が必要であるなど，一般就労が難しい場合でも，個別の状況に応じた就労により，生活リズムを整え，生きがいをもって暮らせるよう支援することは重要です。

障害者総合支援法では，障害福祉サービスの「訓練等給付」に「就労継続支援」「就労移行支援」「就労定着支援」が位置づけられています。就労移行支援と就労定着支援は，福祉的就労と一般就労との中間的な支援です。

福祉的就労の就労継続支援には２種類があり，雇用契約に基づいて働き，賃金を受け取るＡ型事業所と，雇用契約ではなく介護等の福祉サービスを受けながら働き，「工賃」を受け取るＢ型事業所とがあります。Ｂ型事業所の工賃は低い水準にとどまるという課題があり，「工賃向上計画支援事業」が実施されています。

福祉的就労の拡充を側面的に支援する「国等による障害者就労施設等からの物品等の調達の推進等に関する法律（障害者優先調達推進法）」（2012（平成24）年）では，障がい者の働く場から物品等を企業や自治体が積極的に購入することが推奨され，企業が発注・購入を増加させると税の優遇につながる方策が講じられています。

福祉的就労においては，障がいからもたらされる特性と，障がい者個人の特性の両方を十分に理解しながら個別的に支援することが大切です。たとえば，抽象的な思考や場面に応じた判断などが苦手だとしてもそのことだけに着目せず，個別的・全人的な観点で特質を見極め支援することが可能性の開拓につながることを理解しましょう。

⑶　共生社会を目指して

日本では，従来，障がい者の生活を支える担い手として家族が強く期待されてきました。しかし，適時適切な支援が不十分では家族の過重な負担を招きかねません。「親亡きあと問題」という課題も，親を第一の担い手とするからこそ生じていると考えることができます。障がいの有無にかかわらず，親の役割は子どもの年齢や状況に応じて変化します。個別に可能な自立を得られるような家族への支援によって，障がい児・者とその家族が共に生き生きと暮らすことが可能になります。

保育園や幼稚園，学校や職場，地域社会など広い社会における幅広い人間関係が障がい児・者を一員とする社会の人々すべての人生を豊かなものにしていきます。

障がい児・者が「ふつうに」暮らせる社会の実現を目指すとき，障がい者と接点がない人々は不慣れや無理解という課題にぶつかります。障がい児を普通学級に受け入れようとする学校や教員の戸惑い，障がい者の就労を実施しようとする企業や社員の戸惑いなどは，一朝一夕に克服しづらいかもしれません。しかし，誰もが社会の一員として共生できる社会づくりを進めるには，「障がい者抜きに障がい者のことは決めない」という「障害者権利条約」の精神を思い起こし，当事者やその関係者とのコミュニケーションを重ねて違和感を克服し，相互理解を深めていくことに使う時間が必要です。そして，それは関与した人々にとって貴重な経験です。「地域生活支援」には，障がい者を含む社会全体の進展に向けられた理想が込められていると考えることができるのです。

また，「農福連携[14)]」によって，日本の農業の新たな魅力の発見や発展がもたらされます。障がい者が音楽，詩や文学，アートなどの創作活動を行うことによって，文化芸術に新たな風を吹き込む例はたくさんあります。障がい者がアスリートとしてスポーツに挑戦することは，それを支援するテクノロジーやスポーツ用品，機器の開発を発展させます。さまざまな活動へと参加，参画できるようになっていくことは，人間社会の豊かさや深みをもたらすと考えることができます。障がい者が「ふつうに」地域社会で暮らせる社会は，誰に対しても人間らしい生活が保障されていることにつながります。障がい者が生きやすい社会を目指すことは，真に豊かな社会をつくる道筋の一つといえるでしょう。

14) **農福連携** 障がい者等が農業の専門家の助言を得たり協力し合い農業に取り組むことを通じて，障がい者の就労や生きがいの場が生まれると同時に，農業分野にも新たな働き手の確保や農業経営への良い影響がもたらされる事例が発展している。

■図７－４　就労移行支援事業と労働施策の連携

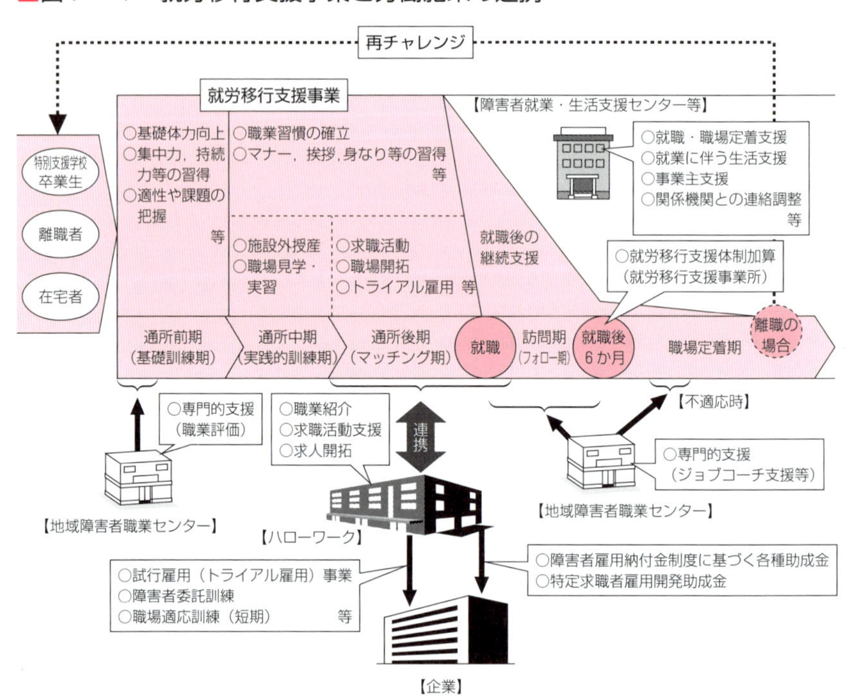

出典：社会福祉士養成講座編集委員会編『新・社会福祉士養成講座㉑　資料編（第10版）』中央法規出版，2019年（p.77）

第8章　高齢者の生活と福祉

Point

- ◆日本が直面する急速な高齢化は，社会のあり方に大きな影響を与えています。日本が迎えている超高齢社会をより良いものにするため，あらゆる努力が必要です。
- ◆介護問題は高齢期の生活課題です。施設の充実だけでなく，地域社会で暮らしの継続ができるような社会づくりや，高齢者みずからの健康維持や生きがいを見つける積極的な取組みも大切です。
- ◆この章では，高齢化の現状と高齢者の保健福祉施策ならびに介護保険制度を学び，地域包括ケアシステムの新たな展開方向について理解しましょう。

1　高齢者福祉の理念

(1)　高齢化の現状

日本の高齢化率[1)]は28.8％（2020（令和２）年）に達しており，世界一の超高齢社会です。平均寿命は，2020（令和２）年現在，男性81.64歳，女性87.74歳であり，女性は世界１位，男性は世界２位の長寿国です。「人生50年」時代から約半世紀で「人生80年」時代が到来し，さらには「人生100年」時代を想定した施策が着手されています。この背景には，乳児死亡率の低下や医療水準や栄養状態の向上などとともに，少子化の著しい進行があげられます。

1）高齢化率　65歳以上の人の人口が総人口に占める比率。高齢化の状況を把握するのに用いる。

■図８－１　高齢化の推移と将来推計

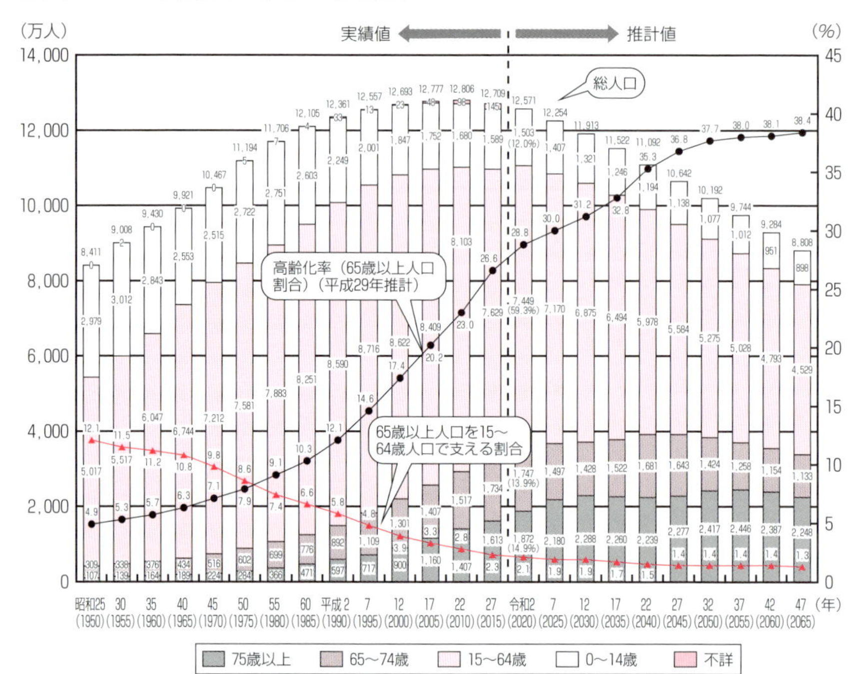

資料：棒グラフと実線の高齢化率については，2015年までは総務省「国勢調査」，2020年は総務省「人口推計」（令和２年10月１日現在（平成27年国勢調査を基準とする推計）），2025年以降は国立社会保障・人口問題研究所「日本の将来推計人口（平成29年推計）」の出生中位・死亡中位仮定による推計結果。

（注１）2020年以降の年齢階級別人口は，総務省統計局「平成27年国勢調査　年齢・国籍不詳をあん分した人口（参考表）」による年齢不詳をあん分した人口に基づいて算出されていることから，年齢不詳は存在しない。なお，1950年～2015年の高齢化率の算出には分母から年齢不詳を除いている。ただし，1950年及び1955年において割合を算出する際には，（注２）における沖縄県の一部の人口を不詳には含めないものとする。

（注２）沖縄県の昭和25年70歳以上の外国人136人（男55人，女81人）及び昭和30年70歳以上23,328人（男8,090人，女15,238人）は65～74歳，75歳以上の人口から除き，不詳に含めている。

（注３）将来人口推計とは，基準時点までに得られた人口学的データに基づき，それまでの傾向，趨勢を将来に向けて投影するものである。基準時点以降の構造的な変化等により，推計以降に得られる実績や新たな将来推計との間には乖離が生じ得るものであり，将来推計人口はこのような実績等を踏まえて定期的に見直すこととしている。

（注４）四捨五入の関係で，足し合わせても100%にならない場合がある。

出典：内閣府編『高齢社会白書 令和３年版』2021年（p.4）

1970（昭和45）年に日本は**高齢化社会**[2)]に入り，その後も中高年齢層の死亡率の低下や平均寿命の延び，さらに，少子化の急速な進行によって，人口減少も始まり，人口の高齢化が進んできました。2007（平成19）年に21.5%に達し，超高齢社会に入りました。このまま進むと2035（令和17）年には高齢化率は32.8%，2065（令和47）年には38.4%にまで達し，「2.6人に１人」が高齢者という，世界に例のない時代を経験することが予想されています。

日本の高齢化の特質は，第一に高齢化の進行が非常に急速であることです。1970（昭和45）年に高齢化社会に入ってから24年間で高齢化率が２倍の14%に達しました。これは他国が経験していなかった速さであり，高齢者を支える社会保障や社会福祉を整える余裕がないままで超高齢社会を迎えました。

第二に，高齢化の進行と同時に家族の変化が進行し，三世代同居の世帯が減少し高齢者世帯[3)]が急増しました。2004（平成16）年以降は，65歳以上の者がいる世帯の半分以上を高齢者世帯が占めています。これにともなって家族の意識も変化し，親も子もそれぞれ独立した生活をすることが不自然とはとらえられなくなっています。

そして第三に，認知症高齢者の増加も相まって，介護問題が深刻化していることです。介護保険制度の導入により，介護の社会化が進んでいます。介護と高齢者医療のコストは高齢者にとっても社会にとっても軽いものではありません。

(2)　高齢者観と福祉の理念

日本には「老いては子に従え」ということばがあります。一定の年齢になると子ども世代に戸主を譲り，あとは隠居して悠々自適，というのが日本人のかつての理想であり，子々孫々の繁栄は，家族にとっての目標でもありました。

1963（昭和38）年，日本で高齢者を対象とする老人福祉法が制定され

2）高齢化社会　高齢化率が７%を超えた社会。また高齢化率が14%を超えた社会を「高齢社会」，21%を超えた社会を「超高齢社会」と呼んでいる。

3）高齢者世帯　65歳以上の者のみで構成するか，またはこれに18歳未満の未婚の者が加わった世帯。65歳以上の一人暮らしもこのなかに含まれる。

■図８－２　主要国における高齢化率が７％から14％へ要した期間

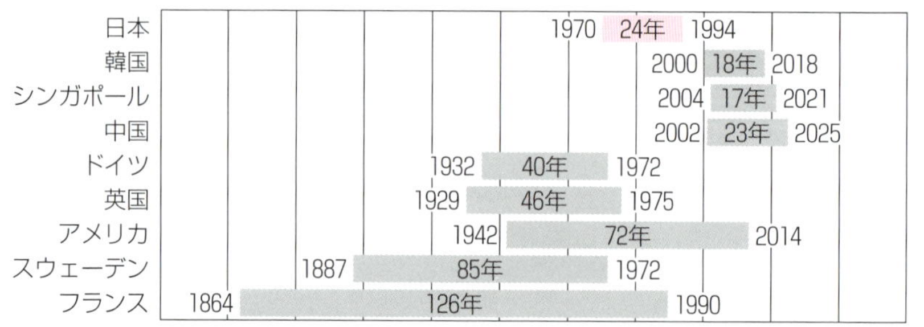

資料：国立社会保障・人口問題研究所「人口統計資料集」(2021年)
(注)1950年以前はUN, The Aging of Population and Its Economic and Social Implications (Population Studies, No.26, 1956) 及びDemographic Yearbook, 1950年以降はUN, World Population Prospects : The 2019Revision (中位推計) による。ただし，日本は総務省統計局「国勢調査」,「人口推計」による。1950年以前は既知年次のデータを基に補間推計したものによる。
出典：内閣府編『高齢社会白書 令和３年版』2021年（p. 8）

■図８－３　世帯構造別にみた65歳以上の者がいる世帯の推移

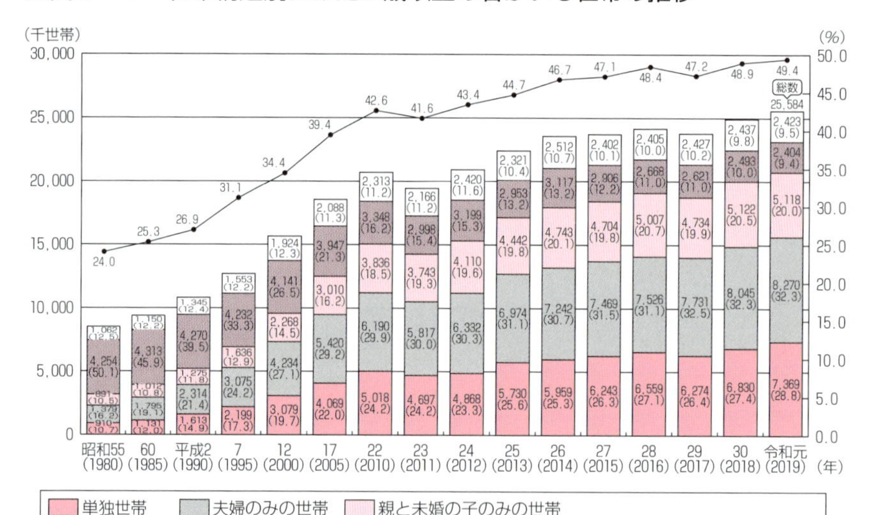

資料：昭和60年以前の数値は厚生省「厚生行政基礎調査」，昭和61年以降の数値は厚生労働省「国民生活基礎調査」による。
(注１)平成７年の数値は兵庫県を除いたもの，平成23年の数値は岩手県，宮城県及び福島県を除いたもの，平成24年の数値は福島県を除いたもの，平成28年の数値は熊本県を除いたものである。
(注２)(　) 内の数字は，65歳以上の者のいる世帯総数に占める割合（％）
(注３)四捨五入のため合計は必ずしも一致しない。
出典：内閣府編『高齢社会白書 令和３年版』2021年（p. 9）

た時代も，まだそうした高齢者観の強い時代でした。高齢化社会前夜のこの時期には，高齢化を社会的な問題として考える切実さは国民に芽生えておらず，あくまで家族内で対処すべき問題と考えられていました。

老人福祉法の第２条，第３条では，高齢者は，「多年にわたり社会の進展に寄与してきた者」として，「敬愛され」「生きがいを持てる健全で安らかな生活を保障」され，一方，高齢者自身も「社会的活動に参加する」よう努めるという理念が示されています。これは，高齢者を引退後の人であると想定していますが，活力にあふれた高齢者も多く，望まない場面で高齢者扱いされることに抵抗を感じる人々も少なくありません。特に，近年では退職後も継続して就労したり，積極的に社会参加したりする高齢者が増えており，敬愛だけでなく，一人の人間としての尊厳と権利を尊重するという福祉の理念が大切です。

老人福祉法

昭和38.7.11　法律133
最終改正　令和２年法律52

第１章　総則

（目的）

第１条　この法律は，老人の福祉に関する原理を明らかにするとともに，老人に対し，その心身の健康の保持及び生活の安定のために必要な措置を講じ，もって老人の福祉を図ることを目的とする。

（基本的理念）

第２条　老人は，多年にわたり社会の進展に寄与してきた者として，かつ，豊富な知識と経験を有する者として敬愛されるとともに，生きがいを持てる健全で安らかな生活を保障されるものとする。

第３条　老人は，老齢に伴って生ずる心身の変化を自覚して，常に心身の健康を保持し，又は，その知識と経験を活用して，社会的活動に参加するように努めるものとする。

２　老人は，その希望と能力とに応じ，適当な仕事に従事する機会その他社会的活動に参加する機会を与えられるものとする。

高齢者の尊厳と人権の保持を阻む高齢者に対する虐待は深刻な問題です。「高齢者虐待の防止，高齢者の養護者に対する支援等に関する法律

（高齢者虐待防止法）」が2005（平成17）年に成立しましたが，虐待の防止という法的措置だけでは根本的な対策とはなりません。少子高齢化の進展にともない，血のつながりを超えて，高齢者と若者が互いに尊重し合い，互いに自立，自律して協力し合い，深い心のつながりを感じられるような社会づくりが求められます。高齢者の介護がもたらす負担のために，家族関係に亀裂が入ることのないよう，どの国も経験したことのない超高齢社会において，新たな高齢者観と高齢者福祉の理念が必要とされています。

高齢者虐待の防止，高齢者の養護者に対する支援等に関する法律

平成17.11.9　法律124
最終改正　令和２年法律52

第１章　総則

（目的）

第１条　この法律は，高齢者に対する虐待が深刻な状況にあり，高齢者の尊厳の保持にとって高齢者に対する虐待を防止することが極めて重要であること等にかんがみ，高齢者虐待の防止等に関する国等の責務，高齢者虐待を受けた高齢者に対する保護のための措置，養護者の負担の軽減を図ること等の養護者に対する養護者による高齢者虐待の防止に資する支援（以下「養護者に対する支援」という。）のための措置等を定めることにより，高齢者虐待の防止，養護者に対する支援等に関する施策を促進し，もって高齢者の権利利益の擁護に資することを目的とする。

2　高齢者の生活課題

(1)　年金と就労

高齢期の経済的な生活基盤は公的年金です（p.21参照）。安心して暮らせる収入を年金によって確保できることが望ましいのですが，公的年金制度には制度ごとの相違があるなど複雑です。公的年金はわかりやすく確かな信頼性のある制度でなくてはなりません。

■図８－４　高齢者世帯の所得状況（平成30年）

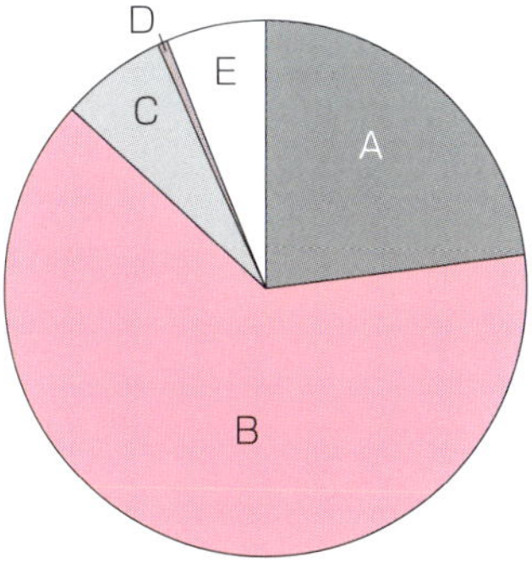

（単位：万円）

		所得金額	%
A	稼働所得	72.1	23.0
B	公的年金・恩給	199.0	63.6
C	財産所得	20.4	6.5
D	年金以外の社会保障給付金	1.8	0.6
E	仕送り・個人年金・その他の所得	19.4	6.2
	合　計	312.6	

出典：厚生労働統計協会編『国民の福祉と介護の動向 2020／2021』2020年（p.173より作成）

高齢化がさらに進行する将来，どのような社会保障が構築されるのか不透明であることは，国民の不安材料となっています。

では，高齢者が就労することはできるでしょうか。高齢者も「働けるだけ働きたい」と考える人が多いのですが，定年制のもとでは，一定の年齢になると，健康や労働能力の状況にかかわらず就労の機会を得にくくなります。生きがいのためにも収入のためにも「働きたい」と考える高齢者の意欲を満たすことは，同時に人口減少に入って労働力不足に直面している日本の経済発展にとっても大切です。

「高年齢者等の雇用の安定等に関する法律（高年齢者雇用安定法）」（1971（昭和46）年制定）では，事業主に対して定年を60歳にすることが義務化され，以後，2004（平成16）年の改正で，定年年齢の引上げ，継続雇用制度の導入，定年の定めの廃止，のいずれかを事業主が実施することとなり，2012（平成24）年の改正では，継続雇用制度の対象が実質的に拡大され，年金の受給開始年齢の65歳まで雇用の確保が進められました。そして2020（令和２）年の改正により，70歳までの定年引上げや継続雇用などの努力義務が事業所に求められることになり，高齢者の就労の機会が拡大しました。

「一億総活躍社会」で活躍が最も期待されているのも高齢者です。多様で柔軟な働き方の工夫によって就労できれば，高齢者自身の収入と生きがいの拡充は活力ある社会づくりにもつながります。

(2)　健康の保持と高齢者医療制度

高齢期を健康で過ごすことを誰もが願いますが，加齢とともに何らかの不調や疾病をかかえる人が増加します。高齢者は一つの疾病から他の疾病を併発しやすく，急性よりは慢性的な疾病を有する場合が少なくありません。

高齢者の健康増進の施策は「老人保健法[4)]」（1982（昭和57）年）以降，本格化しました。高齢者が過度に医療に依存せず暮らせるよう予防を重視し，しかし必要な医療はきちんと受けられるよう，工夫が重ねられてきました。

介護保険制度の導入においては，介護予防の観点がさらに重視され，「健康増進法」（2002（平成14）年）においても若い時からの積極的な健康づくりが推進されてきました。

また，WHO（国連世界保健機関）は，日常生活が制限される要介護期間を平均寿命から除いた期間を「健康寿命」とし，自立して日常生活をおくれる期間をできるだけ延伸することを提唱してきました。厚生労働省によれば，2019（令和元）年の健康寿命は男性72.68年，女性75.38年とされており，少しずつ延びています。高齢者の健康意識も高まっており，生きがいをもって健康に生活しようと取り組む人が増えています。

一方，高齢者の医療費の削減については2008（平成20）年度から，75歳以上の後期高齢者医療制度が創設され，高齢者の長期入院の是正や若年層の生活習慣病予防策が講じられています。後期高齢者は，一人ひとりが保険料を納め，医療費の支払いを行います。保険料も医療費負担も

4）**老人保健法**　老人保健事業と老人医療の枠組みで高齢者の健康を総合的に守ることを目指していた。

所得に応じて定められています。改正が重ねられるたびに，個人差のある医療の必要度と経済力，国や自治体の財政負担のバランスの公平感をめぐって議論がなされますが，そのバランスをとることは至難です。それでも高齢者や高齢期を迎えようとする人々が医療への不安を感じる制度とならないことが重要です。

⑶　住まいと生活の環境

多くの高齢者が自立した生活をできるだけ長くおくりたいと願っています。それを可能にする生活の環境を考えてみましょう。

生活に大きく影響を与えるのは住まいです。住宅内の居室や階段で起きる転倒，転落事故は要介護状態のきっかけとなっていることからも，高齢者の生活の特質に配慮された構造や設備の住まいが大切であることがわかります。ハード面だけでなく，生活上の相談や家事援助，見守り，緊急時の対応などソフト面の環境を整えることも必要とされています。

2018（平成30）年の「住宅・土地統計調査」（総務省）によれば65歳以上の持ち家率は一般世帯が82.1％ときわめて高く，高齢者のためのバリアフリー改修がなされている住宅は住宅全体の50％を超えて，前回調査より増加しています。階段の手すり，浴室やトイレの改修，段差の解消などが主な内容です。一方，65歳以上の単身主世帯では，持ち家率は66.2％にとどまっており，住まいの確保という基本的な課題があります。

高齢時に適した住まいの提供に関して新しい方策[5)]も打ち出されてきました。「高齢者の居住の安定確保に関する法律（高齢者住まい法）」（2001（平成13）年）の大幅な改正（2011（平成23）年）がそれを後押ししています。

住まいと同じく着目しておきたいのは，外出や移動の手段です。外出は，買い物や通院など生活上の必要から行うだけではなく，行動範囲を

5）**新しい方策**　施設を含めた高齢者向けの住まいについてはp.182参照

広げ，生きがいや暮らしへの意欲を高めることにもつながります。内閣府「高齢者の健康に関する意識調査」（平成29年）によれば，65歳以上の62.5％は，ほとんど毎日外出しています。また「高齢者の住宅と生活環境に関する調査」（平成30年）では，外出手段のうち，「自分で運転する自動車」の比率は65～69歳では68.6％，70～74歳で63.3％が徒歩による外出を上回っているとされています。80歳以上でも26.4％は自分で運転する自動車で移動すると回答しており，公共交通の発達している大都市に比べ，町村部では，生活上の必要から自分で運転して移動する比率が高くなります。

高齢者だけではなく障がい児・者やその家族などが不自由なく外出や移動ができる公共的な手段を整備することは当事者にとっても，地域社会にとっても重要な課題です。

他者とのつながりを保ち，新しい世界に触れる手段として，インターネットの利用があります。コロナ禍の影響もあり，インターネット通販も普及しており，高齢者のなかにもインターネットを使いこなす人たちが増えています。こうした情報環境のもとで起こり得る詐欺事件などのリスクを回避し，高齢者が安心して使いやすい情報環境を支援することによって，遠隔医療や知人，友人との交流が広がり，移動が難しくなった人々の生きがいを充足することも可能になります。

⑷　食と栄養の支援

高齢期，買い物や炊事，洗濯など生活の基本を支えることへの負担感が増し，それが健康状態の低下を招いている場合があります。

国民健康・栄養調査（2019（令和元）年）では，65歳以上の高齢者に関して低栄養の者の割合が，男性12.4％，女性20.7％であるとされています。高齢者世帯とりわけ単身世帯では，栄養への配慮や食事への満足をあまり重視しない傾向もあり，医療や介護費用に備えようとして節約する場合もあります。しかし，それが逆効果で，低栄養が健康を損ねる原因となります。他方，食事の制限が必要な高齢者もおり，食と栄養への支援が必要です。

食への満足は，多くの場合，人間関係や生きがいのあり方に関連していることにも注目しておく必要があります。「楽しく，おいしく，バランスよく」という食事の基本は子どもから高齢者まで共通する，食に欠かせない要素です。栄養の支援は，常に心の充足につながることが大切で，心と体の両方にとって十分なものであることが求められるのです。

手軽に高齢者向けの食材を入手する機会や，企業の配食を利用する方法もあります。また介護予防・日常生活支援総合事業の推進による配食や見守りも充実されてきています。そうした事業の増進においては，単に栄養の整った食事が届けられるだけではなく，会食など，他者とのつながりや生活の活性化につながるような配慮が必要です。

食と栄養への支援は，それを活用する高齢者にも，提供する側にも，何らかの絆を感じさせ，喜びにつながることが，とても重要ではないでしょうか。

⑸　社会的孤立の予防

単身高齢者世帯や高齢者夫婦のみの世帯の急増が，高齢者の社会的な孤立を招いていることが指摘されています。

もちろん，それらの世帯がすべて孤立しているわけではありません。さまざまな社会活動を通じて知り合った仲間，古くからの友人や知人，近隣関係，そして家族など，厚みのある人間関係を築いて，生き生きと暮らしている高齢者も大勢います。

一方で，何日も他人との会話がない生活や，知人や親せきに先立たれてから新しい人間関係を築くことが難しくなり孤立的な生活が始まる人々，もともと他人とかかわることが苦手な人々，福祉サービスや周囲の世話になりたくないと考えて他者とかかわらずに生活している人々など，社会的な孤立の実態はさまざまです。

社会的な孤立は，誰にも看取られることなく息を引き取り，相当期間発見されない「孤立死」という結果を招いていることが関心を集めるようになりました。

厚生労働省は，「高齢者等が一人でも安心して暮らせるコミュニティづくり推進会議（「孤立死」ゼロを目指して）」（2008（平成20）年）の報告書において，孤立死予防型のコミュニティづくりへの取組みの必要性を提言しました。

「高齢社会対策大綱」（2016（平成24）年閣議決定）では，高齢者の社会的孤立の防止策の推進が提唱されました。総務省は高齢者の社会的孤立と災害時避難支援などに関する行政評価（2017（平成25）年）を行い，地域社会や家族，介護保険や生活保護などの行政サービスとの接触が乏しく，なかには行政サービスを拒む人々の存在にも言及し，国による補助や地方公共団体における積極的な対策の推進を提言しています。内閣府「高齢者の健康に関する意識調査」（平成24年）では，60歳以上の単身世帯において孤立死を身近な問題と「とても感じる」と答えた人が14.6％で，総数に対する比率の３倍以上となっており，社会的な孤立を予防する支援が必要とされていることがわかります。

社会的な孤立を予防する方策は，コミュニティにおける人間関係の回復が有効です。テクノロジーを駆使した安否確認や，介護保険や生活保護などの行政サービスは，その助けになります。それ以上に，心がふれあう人間関係の構築されたコミュニティづくりが大切です。何気ない挨拶，とりとめのないおしゃべり，思い出話や昔話など，必ずしも意図的ではない，人間関係の積み重ねがコミュニティを変えていきます。コミュニティづくり（第９章参照）を進める諸活動の発展が人間のつながりを強め，社会的な孤立を予防し，緊急時の支え合いの基盤となることを心に留めておきましょう。

⑹　認知症高齢者の理解と支援

認知症は，原因などによっていくつかの種類があるだけでなく，個々人や環境の違いによっても進行や症状に違いが生じてきます。「何もわからない人」「大事なことを覚えていられない人」「不可解な行動をする人」のように否定的にとらえられる場合が多いのですが，「うれしい，楽しい」や「悲しい，つらい」などの感情は残されており，その人独自の方法で表現していると理解することができます。

また，記憶や判断に障がいが起きても，若いころに身につけた事柄や印象の強い出来事の記憶はしっかりと身体に刻みつけられている場合も多いので，できることを引き出していくようなケアを心がけてかかわっていくことが大切です。

その方を尊重した適切なケアのもとでは，不可解な行動や感情の起伏などの行動・心理症状は改善され，本人や周囲の人々が生活しやすくなります。

認知症高齢者数は2012（平成24）年の462万人から，2025（令和７）年には約700万人まで増加すると推計されており，認知症施策推進総合戦略（新オレンジプラン）が策定されています。このプランには「認知症の人やご家族の視点の重視」を一つ目の柱として，その共通の柱のもとに６つの柱がある，という７つの柱があります。そして，早期発見や

■図８－５　新オレンジプランの７つの柱

新オレンジプランの７つの柱

○「認知症高齢者等にやさしい地域づくり」を推進していくため，以下の７つの柱に沿って，施策を総合的に推進していきます。

「Ⅶ 認知症の人やご家族の視点の重視」は，他の６つの柱に共通するプラン全体の理念でもあります。

出典：厚生労働省資料

適切なケアを推進するとともに，啓発活動による正しい理解の普及，医療や介護の充実，介護者支援，研究開発とならんで，認知症高齢者等にやさしい地域づくりを目指しています。

3 高齢者介護を支える介護保険制度への展開

(1) 介護問題と高齢者保健福祉施策

高齢化が急速に進み，健康や介護に不安を感じている人が増加しています。2017（平成29）年の「高齢者の健康に関する調査」（内閣府）によれば，実際に介護を必要とする人の数は増加しています。

在宅の介護を支えるためには多くの困難がともないます。介護問題は，介護の技術や知識の不足，介護をきっかけとする家族関係の変化，経済的な負担の増加などに関連しています。そして，介護を支援する施

■図８－６　要介護者等からみた主な介護者の続柄

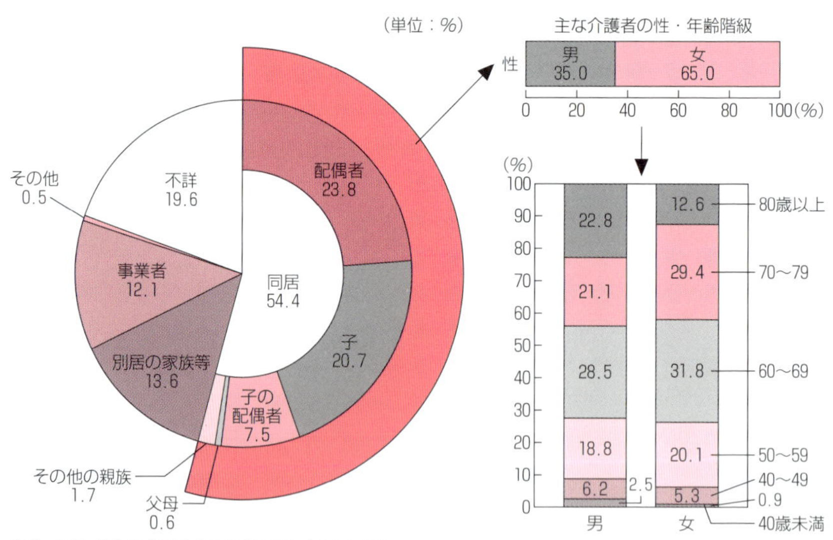

資料：厚生労働省「国民生活基礎調査」（令和元年）
注：四捨五入の関係で，足し合わせても100%にならない場合がある。
出典：内閣府『高齢社会白書 令和３年版』2021年（p.34より）

策がどのようなものであるかが個々の介護状況にさまざまな影響を与えます。

一人暮らしを含む高齢者世帯の急増は介護需要の増大につながっています。介護をする人のうち25.2％は同居の配偶者であることからわかるように介護者も高齢である「老老介護」も増加しています。また，三世代世帯であっても，子ども世代が共働きで介護できない場合も多く，そのことから10代の介護者，ヤングケアラーの問題[6)]も生じています。認知症高齢者の増加も介護問題を深刻化させています。

家族の変化や家族観の変化により，高齢者や介護者の生活形態や生活意識の多様化に対応できる介護サービスを，総合的な保健福祉施策の観点から構築することが不可欠です。

高齢者福祉から高齢者保健福祉施策という総合的な施策の流れへの展開過程では，表８－１に示したように，老人医療費の削減や社会的入院の解消を目指すために，さまざまな取組みが行われてきました。そして，1989（平成元）年の「高齢者保健福祉推進十か年戦略（ゴールドプラン）」の策定は，一つの転換点となり，同じ時期に進められていた社会福祉基礎構造改革[7)]における議論もふまえて「介護保険法」の制定と施行へと至ります。介護サービスを利用契約制度へと転換させることへの展開は，日本の社会福祉の最重要課題であった介護問題を社会保険[8)]に加える決断を意味しています。

(2)　介護保険制度の意義とねらい

①介護保険制度の意義

介護保険制度は高齢者への介護サービス提供の仕組みとして国民の理解も定着してきました。また，次のような点で社会福祉のあり方に対する抜本的な変革でした。

6）ヤングケアラーの問題　p.121参照
7）社会福祉基礎構造改革　p.46参照
8）社会保険　p.21参照

■表８－１　高齢者保健福祉政策の流れ

年　代	高齢化率	主な政策
1960年代 高齢者福祉政策の始まり	5.7% (1960)	1963年　老人福祉法制定 ◇特別養護老人ホーム創設 ◇老人家庭奉仕員(ホームヘルパー)法制化
1970年代 老人医療費の増大	7.1% (1970)	1973年　老人医療費無料化
1980年代 社会的入院や寝たきり老人の社会的問題化	9.1% (1980)	1982年　老人保健法の制定 ◇老人医療費の一定額負担の導入等 1989年　ゴールドプラン（高齢者保健福祉推進十か年戦略）策定 ◇施設緊急整備と在宅福祉の推進
1990年代 ゴールドプランの推進	12.0% (1990)	1990年　福祉関係八法改正（在宅サービスの推進，福祉サービスの市町村への一元化，老人保健福祉計画） 1994年　新ゴールドプラン（新・高齢者保健福祉推進十か年戦略）策定 ◇在宅介護の充実
介護保険制度の導入準備	14.5% (1995)	1996年　連立与党３党政策合意 介護保険制度創設に関する「与党合意事項」 1997年　介護保険法制定 1999年　ゴールドプラン21（今後５か年間の高齢者保健福祉施策の方向）策定
2000年代 介護保険制度の実施	17.3% (2000) 23.1% (2010) 27.3% (2016)	2000年　介護保険法施行 2005年　介護保険法の一部改正 2008年　後期高齢者医療制度の実施 2011年　介護保険法の一部改正 高齢者の居住の安定確保に関する法律の一部改正 2012年　認知症施策推進５か年計画（オレンジプラン）策定 高齢社会対策大綱策定 2014年　介護保険法の一部改正（医療介護総合確保推進法）の公布 2015年　認知症施策推進総合戦略（新オレンジプラン）策定 2017年　介護保険法の一部改正 新オレンジプラン改訂 2019年　認知症施策推進大綱策定 2020年　介護保険法，老人福祉法一部改正

出典：社会福祉士養成講座編集委員会編『新・社会福祉士養成講座㉑　資料編（第９版）』中央法規出版，2017年（p.41）を一部改変

第一に，社会保険方式ですから，財源は国庫および都道府県負担と保険料，そしてサービス利用者の利用者負担から成り立っています。サービス利用に際しての利用者負担額は原則として定率で１割の応益負担[9]とされていますが，利用者の所得に応じて２割または３割を負担します。また現在，定率を２割へと引き上げることも検討されています。介護保険の保険料は，第１号被保険者（65歳以上）と第２号被保険者（40歳以上65歳未満で医療保険の加入者）が納付します。

第二に，利用者本位の考え方に基づいていることです。サービス利用に際しては，利用者による選択と自己決定が重視されます。たとえば在宅サービスと施設サービスのどちらを希望するのか，また在宅サービスを希望する場合に，要介護度ごとに決められている範囲で，どのような給付内容を選ぶかなど，本人が納得したうえで利用を開始することが基本となります。自立の支援を基本理念としており，単なる身の回りの世話を提供することにとどまるものではありません。

第三に，サービスの供給源についてです。多様な選択肢が提供される仕組みを整えなければ，選択の自由も十分には保障されません。そこで，社会福祉法人や地方公共団体に限らず一定の基準を満たせば，企業や非営利団体なども「指定居宅サービス事業者」となることができるよう改められました。多様な供給主体が福祉サービスに参入すれば，競争原理が働きサービスが高められるという考え方によるものです。

競争原理が本当にサービスの質を向上させるのか，営利や経営合理化が利用者を不利にする要因とはならないのか，社会福祉サービスのあり方について根本的な問いを忘れることなく，行方を見すえていかなくてはなりません。

②介護保険制度のねらい

公的介護保険制度導入は，「21世紀福祉ビジョン」（1994（平成６）

9）応益負担　p.62参照

■図８－７　要介護・要支援認定者数（年度末現在）

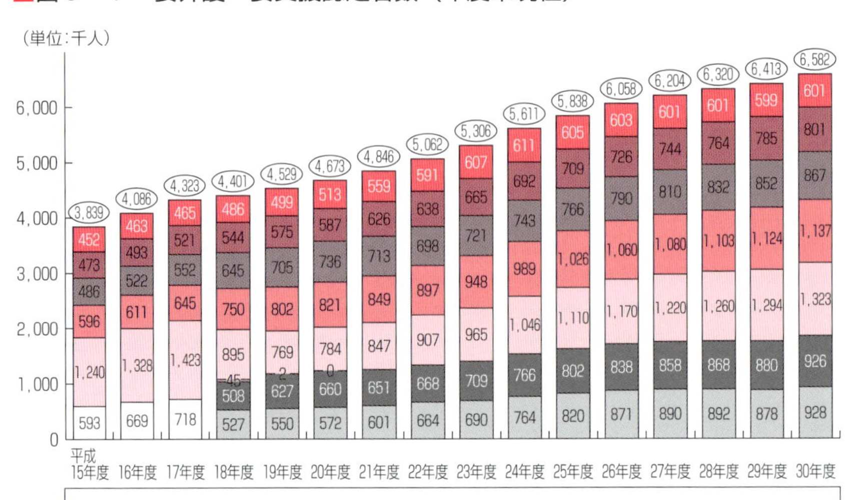

注１：東日本大震災の影響により，平成22年度の数値には福島県内５町１村の数値は含まれていない。
　２：平成29年度から全市町村で介護予防・日常生活支援総合事業を実施している。
資料：厚生労働省「平成30年度 介護保険事業状況報告（年報）」を一部改変

年）以来，本格的に論議され，1997（平成９）年に「介護保険法」が成立，2000（平成12）年４月に施行されました。介護問題への包括的な対応を目指して高齢者の介護を社会全体で支え合う仕組みを整えることになったのです。

介護保険法施行によって，幅広い国民が公平な経済的負担により介護サービスの利用が可能となるよう新たな方法が構築されました。

介護保険制度では「要介護度」を審査判定することによって，高齢者が必要とする介護の度合いを認定し，その結果に応じて利用できるサービスの量や種類が決められます。そして，本人や家族の希望を尊重した**介護サービス計画（ケアプラン）**[10)]が作成されます。

10）**介護サービス計画（ケアプラン）**　利用するサービスの種類や内容を定めた計画。居宅では「居宅サービス計画」，施設入所では「施設サービス計画」，そして，介護予防サービスでは「介護予防サービス計画」が作成される。

本人や家族との相談からどのような介護サービスを組み合わせて利用するかを決める介護サービス計画の作成，サービス利用状況の管理や介護サービス計画の見直しなど一連の支援の過程である「ケアマネジメント」は，介護支援専門員（ケアマネジャー）[11)]が行います。介護保険制度を個々の利用者の生活に活用していく大事な支援です。介護サービス計画は本人や家族が作成することもできます。

(3) 介護保険制度の仕組み

介護保険の給付を希望する被保険者やその家族が，給付の申請を行うと，市町村が設置した介護認定審査会が審査および判定を行い，その結果を市町村に通知，市町村はそれに基づいて「要介護認定」を行います。要介護認定は，ADL等心身の状況に関する認定調査と，主治医の意見書をもとに行われます。要介護認定の結果，保険給付の対象となるのは「要介護」，または「要支援」と認定された人です。

要介護状態は，軽度から最重度まで５段階，要支援状態は２段階に区分されています。要介護・要支援の区分に応じて，保険の給付額が設定されており，利用者は，その給付額内でのサービスを受けることができます。居宅サービスを希望する場合は，本人の希望を十分に取り入れた「介護サービス計画」の作成を保険給付の一つとして，ケアマネジャーに依頼することができます。

介護サービス計画には，ケアの基本方針や目標，毎日のサービスメニューなどがきめ細かく示されています。それに基づいてサービスが実施され，そのサービスが効果的であるかどうかを定期的にチェックし，必要に応じて計画を修正します。入所型の施設サービスの利用を希望する場合は，施設入所後に「施設サービス計画」に基づくサービスを利用

11）介護支援専門員（ケアマネジャー）　要介護者や要支援者の相談に応じ，ケアプランの作成や市町村，サービス事業者，施設などとの連絡調整を行う。保健福祉分野での５年以上の実務経験の後に試験に合格し，実務研修を受けることによって実務に就くことができる。

■図８－８　介護保険制度の概要

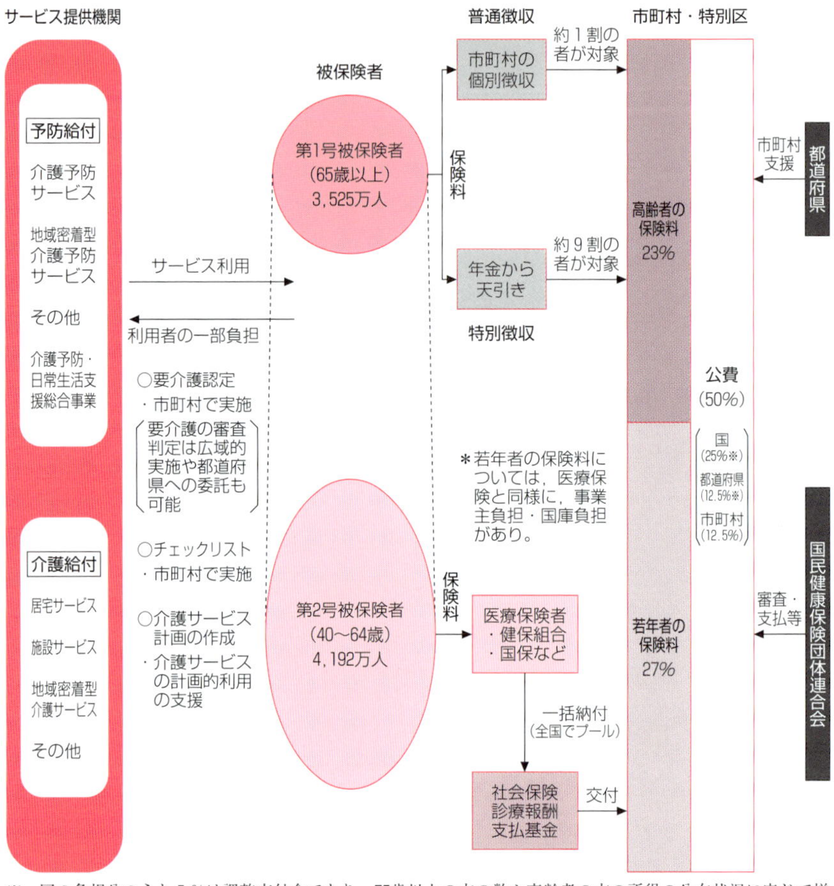

※　国の負担分のうち５％は調整交付金であり，75歳以上の方の数や高齢者の方の所得の分布状況に応じて増減

※　施設等給付費（都道府県指定の介護保険３施設及び特定施設に係る給付費）は，国20%，都道府県17.5%

※　第１号被保険者の数は，「平成30年度介護保険事業状況報告年報」によるものであり，平成30年度末現在のものである。

※　第２号被保険者の数は，社会保険診療報酬支払基金が介護給付費納付金額を確定するための医療保険者からの報告によるものであり，平成30年度内の月平均値である。

資料：厚生労働省編『厚生労働白書　令和３年版（資料編）』2021年（p.230）を一部改変

■図８－９　介護サービスの利用手続き

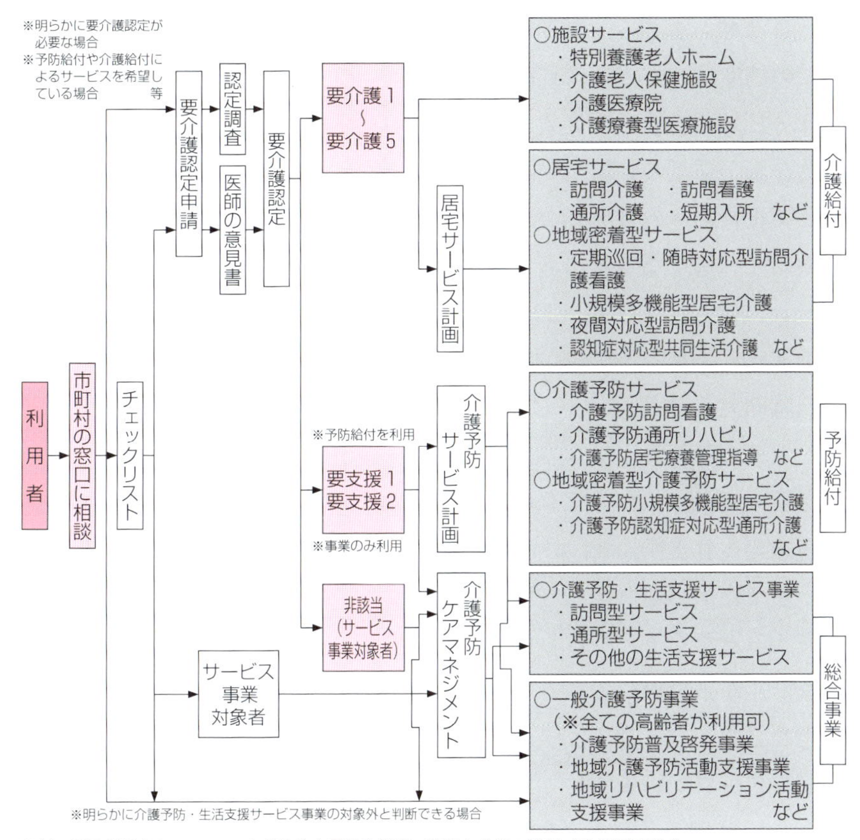

資料：厚生労働省ホームページ（「公的介護保険制度の現状と今後の役割（平成30年度）」）
出典：厚生労働統計協会編『国民の福祉と介護の動向 2021／2022』2021年（p.155）を一部改変

することになります。

利用者がサービスを利用すると，サービスの実施機関（指定居宅サービス事業者）に対して，市町村から利用量等に基づく介護報酬が支払われる仕組みになっています。

(4)　介護保険制度の展開

介護保険法の施行から約20年が経過し，2000（平成12）年の制度創設時以来，サービス対象者，利用者ともに増加し，施行時に保険料を支払う年齢（40歳）だった人々も2025（令和５）年には利用者となる時期を迎えることもふまえ，制度が定着したということができます。

この制度は３年ごとに見直しが行われ，改正が重ねられています。介護サービスの需給バランス，認定調査の公平性，要支援認定者増加に対する介護予防策の整備，介護事業所の急増に対する法令遵守責任者の専任と不正行為への目配りなど，おおむね第４期の改正までの焦点は介護保険制度の適正な定着にあったということができます。

それに対し，第５期（2011（平成23）年改正）以降，「地域包括ケアの推進」を目指した事業の拡充へと改正の方向性が転換されてきました。24時間対応の巡回サービス，介護予防・日常生活支援総合事業の創設，地域密着型サービスの充実，地域支援事業の充実などが行われ，介護保険の当初のねらいでもあった，地域社会における介護サービスの充実が加えられます。

そして，第７期（2017（平成29）年改正）では，住まいと生活を医療が支える新たなモデルとして「介護医療院」が介護保険施設に創設されました。尊厳を保持し，看取りも行います。また，所得の高い利用者の負担を２割から３割へとする見直しも行われ，利用者負担の公平性の課題が提起されています。

さらに第８期（2020（令和２）年改正）においては，「地域共生社会の実現のための社会福祉法等の一部を改正する法律」にともなう改正が行われ，「地域包括ケアシステム[12)]の深化と推進」が打ち出されました。

家族を介護の担い手として期待してきた日本において，家族以外の社会資源による介護を定着させていくためには，今しばらくの時間が必要とされます。今後は「地域包括ケアシステム」を地域に構築していくことが最初の課題となります。

12）**地域包括ケアシステム**　介護保険法をもとに進められる地域包括ケアシステムについてはp.188以降参照。

■図8－10　介護保険制度をめぐるこれまでの経緯

第1期（平成12年度～）
第2期（平成15年度～）
第3期（平成18年度～）
第4期（平成21年～）
第5期（平成24年～）
第6期（平成27年～）
第7期（平成30年度～）
第8期（令和3年度～）

平成12年4月　介護保険法施行

平成17年改正（平成18年4月施行）
○介護予防の重視（要支援者への給付を介護予防給付に。介護予防ケアマネジメントは地域包括支援センターが実施。介護予防事業，包括的支援事業などの地域支援事業の実施。）
○施設給付の見直し（食費・居住費を保険給付の対象外に。所得の低い方への補足給付。）
○地域密着サービスの創設，介護サービス情報の公表，負担能力をきめ細かく反映した第1号保険料の設定　など

平成20年改正（平成21年5月施行）
○介護サービス事業者の法令遵守等の業務管理体制の整備。休止・廃止の事前届出制。休止・廃止時のサービス確保の義務化　など

平成23年改正（平成24年4月施行）
○地域包括ケアの推進。24時間対応の定期巡回・随時対応サービスや複合型サービスの創設。介護予防・日常生活支援総合事業の創設。介護療養病床の廃止期限の猶予
○介護職員によるたんの吸引等。有料老人ホーム等における前払金の返還に関する利用者保護。市町村における高齢者の権利擁護の推進
○介護保険事業計画と医療サービス，住まいに関する計画との調和。地域密着型サービスの公募・選考による指定を可能に。各都道府県の財政安定化基金の取り崩し　など

平成26年改正（平成27年4月施行）
○地域包括ケアシステムの構築。介護予防訪問介護・介護予防通所介護の地域支援事業移行。在宅医療・介護連携の推進，認知症施策の推進。生活支援サービスの充実強化。特別養護老人ホーム入所者を原則要介護3以上に限定
○費用負担の公平化。一定以上の所得のある第1号被保険者の自己負担を2割に　など

平成29年改正（平成30年4月施行）
○全市町村が保険者機能を発揮し，自立支援・重度化防止に向けて取り組む仕組みの制度化
○「日常的な医学管理」，「看取り・ターミナル」等の機能と「生活施設」としての機能を兼ね備えた，介護医療院の創設
○特に所得の高い層の利用者負担割合の見直し（2割→3割），介護納付金への総報酬割の導入　など

令和2年改正（令和3年4月施行（予定））
○地域住民の複雑化・複合化した支援ニーズに対応する市町村の包括的な支援体制の構築の支援
○医療・介護のデータ基盤の整備の推進

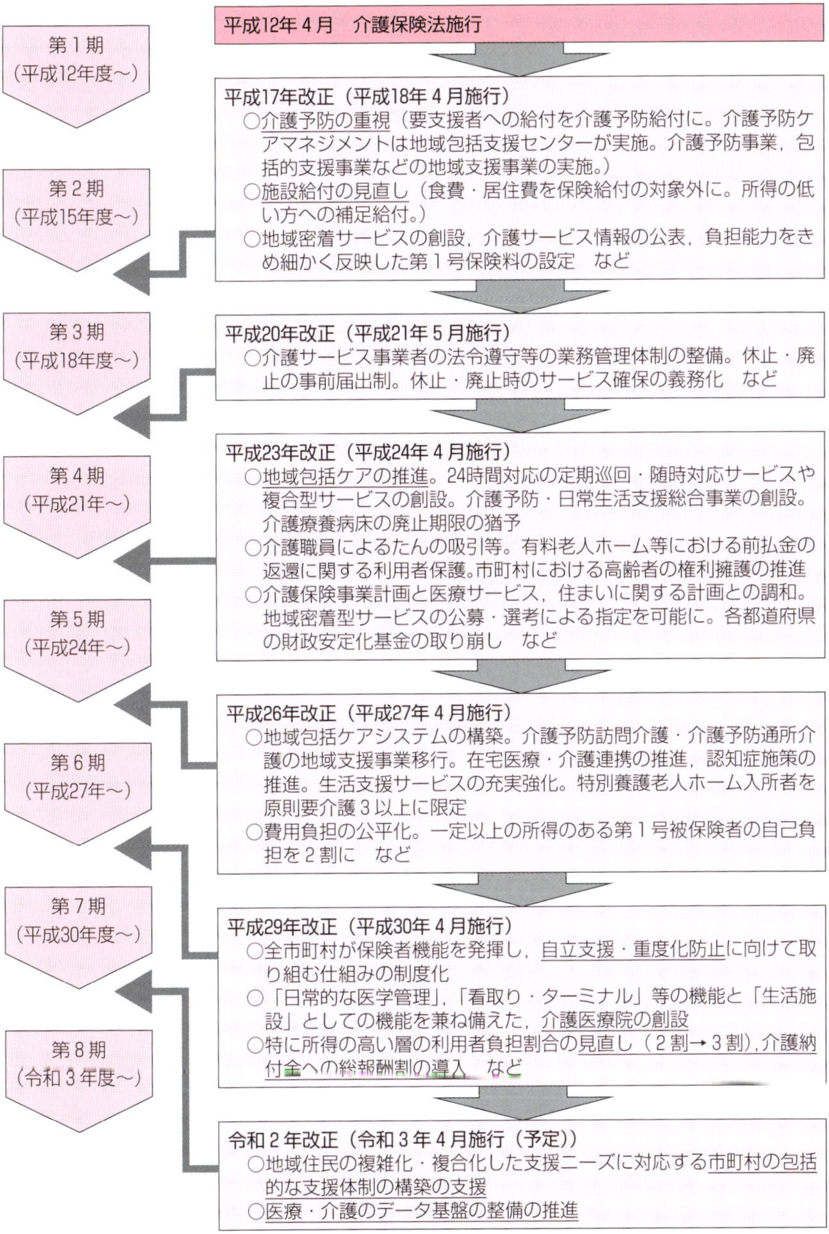

出典：厚生労働省資料

4 高齢者の住まいと介護の提供

(1) 住まいに対する意識の多様化

高齢者が安心して生活するには，「住まい」のあり方が大きく影響します。

個々人の住まいに，心身の不自由さや介護に対応する設備を整えていけば，それは介護施設に類似した場となります。他方，従来から施設と呼ばれてきた場に，個々人の個性を反映できる工夫を加えていけば，それは住まいに類似した場となります。

すなわち，高齢者に適した環境の整えられた場が，個々人の住まいであるか，施設であるかということで区分するよりも，個々の高齢者が自分らしく生活できる場をみずから選び，自分らしく整え，安心して暮らしを楽しめるような住まいの提供が重要なのです。

20世紀の後半に，核家族化が進行し，高齢者が子や孫と同居するのが当然とされた理想は徐々に変化してきましたが，親子の情愛をめぐる葛藤や家族の理想像に対する幻想や世間体による呪縛は，完全に消失したわけではありません。しかし，親世代と子ども世代がそれぞれに独立的に生活を形成する社会への過渡的な時代を経験しながら，介護問題は社会の支え合いで解決していく課題であるという考え方へと転換しつつあります。

社会福祉施設である各種の老人ホームも「住まい」に位置づけられています。

制度設計のあり方は，国民の意識や生活に大きな影響を与えます。介護保険制度の導入は，高齢者が自律的に制度を活用する主人公である，という合意を少しずつ形成し，住まいに対する考え方にも変化を与えたということができます。

高齢期における維持の困難や介護には適さない持ち家にこだわらず

に，みずからの生活に対する価値観を考慮し，たとえば生活の利便性や，医療や介護の充実度，自然環境や都市的機能の充実度など，それぞれが重視する要素に合致した場を選び，自発的に移動する高齢者も少なくありません。介護を提供する多様な場が地域のなかに増えていけば，その傾向が加速される可能性もあります。

(2)　住まいの現状

福祉施設を含めた「高齢者向け住まい」は表８－２に示したとおりです。多種多様な住まいの種類があり，それぞれに特徴があります。

老人ホームにも，根拠法令の異なる種類のあることがわかります。

介護保険法が施行されて以後は，施設の種類や介護保険サービス提供のあり方がたいへん複雑になっており，利用者や家族が適切な施設を選択することが難しい状況で，特別養護老人ホームと有料老人ホームの違いも理解しづらい事項の一つです。

まず，老人福祉法に基づく住まいは次のとおりです。特別養護老人ホームは老人福祉法制定（1963（昭和38）年）によって設置されることになった，介護を提供する社会福祉施設です。同時に，介護保険法制定後においては「指定介護老人福祉施設」に定められて介護保険の介護サービスが適用されます。

一方，有料老人ホームは，老人福祉法において心身の健康保持や生活安定に必要なサービスを提供する施設とされています。有料老人ホームのなかでも「介護付き有料老人ホーム」は介護保険法において特定施設サービスの提供を行います。営利企業による経営が主で，それぞれにアピールポイントがあり，増設されていますが，特別養護老人ホームに比べて負担する費用は一般的に高額です。

「認知症高齢者グループホーム」（老人福祉法）は認知症の人が共同して生活能力を維持していく住まいで，介護保険法上，認知症対応型共同生活介護に位置づけられています。

「養護老人ホーム」（老人福祉法）は老人福祉法以前からの入所型福

■表8－2　高齢者向け住まい・施設の概要

<table>
<tr><th colspan="3">名称</th><th>入所〔居〕年齢</th><th>概要</th><th>介護が重度化したとき</th><th>根拠法</th></tr>
<tr><td rowspan="4">介護保険施設</td><td colspan="2">介護老人福祉施設（特別養護老人ホーム）*</td><td rowspan="4">原則
65歳以上</td><td>常時介護が必要な人に対し，生活全般にわたって介護サービスが提供される。待機者が多く入居まで時間がかかることも。個室，多床室などで費用が異なる</td><td>居住可</td><td>介護保険法
老人福祉法</td></tr>
<tr><td colspan="2">介護老人保健施設</td><td>病院と自宅，医療と福祉の中間施設。入院治療する必要はないが自宅での療養が困難な方が，介護・看護・リハビリサービスを受けられる</td><td>原則
３か月～
半年入所</td><td>介護保険法</td></tr>
<tr><td colspan="2">介護医療院</td><td>長期療養が必要な要介護者が，療養上の管理，看護，医学的管理の下における介護及び機能訓練等の医療や介護を受けられる。介護療養病床相当の「Ⅰ型」と，老人保健施設相当「Ⅱ型」がある</td><td>入院可</td><td>介護保険法</td></tr>
<tr><td colspan="2">介護療養型医療施設</td><td>長期の入院による療養が必要な場合，介護も含めてサービスが受けられる</td><td>原則入院可</td><td>介護保険法</td></tr>
<tr><td colspan="3">サービス付き高齢者向け住宅</td><td>高齢者</td><td>都道府県に登録された，高齢者のみを入居対象とする賃貸住宅。居宅サービスと生活支援サービスが利用できる</td><td>物件による</td><td>高齢者の居住の安定確保に関する法律（高齢者住まい法）</td></tr>
<tr><td colspan="3">認知症対応型共同生活介護</td><td>原則
65歳以上</td><td>認知症で要支援２以上の人が対象。少人数（５～９人）で家庭的な共同生活を送りながら，「本人らしさ」を尊重した暮らしを支える</td><td>事業所による</td><td>介護保険法
老人福祉法</td></tr>
<tr><td rowspan="4">軽費老人ホーム</td><td rowspan="2">ケアハウス</td><td>一般型</td><td rowspan="4">原則
60歳以上</td><td>身の回りのことができる人の入居が基本。日常の基本的なサービス（食事・入浴等）を受けることができる。所得制限はない</td><td>住み替え</td><td>介護保険法
社会福祉法
老人福祉法</td></tr>
<tr><td>介護型</td><td>「特定施設」の指定を受けているケアハウス。要介護認定を受けると，事業者が提供する介護サービスが受けられる</td><td>原則居住可</td><td>介護保険法
社会福祉法
老人福祉法</td></tr>
<tr><td colspan="2">A型</td><td>家族との同居が困難な高齢者のために，食事，入浴，緊急対応のサービスがついた住宅。低額な料金で利用できる</td><td>住み替え</td><td>介護保険法
社会福祉法
老人福祉法</td></tr>
<tr><td colspan="2">B型</td><td>軽費老人ホーム（A）と同様だが，食事サービスはついておらず，自炊となる</td><td>住み替え</td><td>介護保険法
社会福祉法
老人福祉法</td></tr>
<tr><td colspan="3">シルバーハウジング</td><td>60歳以上</td><td>住戸設備・仕様が高齢者向けに配慮された公的な賃貸住宅。生活援助員が安否確認や生活相談等に応じてくれる</td><td>住み替え</td><td>公営住宅法</td></tr>
<tr><td colspan="3">介護付有料老人ホーム（入居時自立型）</td><td>おおむね
60歳以上</td><td>自立のときから入居し，独立した居室で食事や生活支援サービスを受けながら暮らし，要介護状態になれば，介護専用室に移り住んでサービスが受けられる。入居金など高額なものが多い</td><td>原則居住可</td><td>介護保険法
老人福祉法</td></tr>
<tr><td colspan="3">介護付有料老人ホーム（介護専用型）</td><td>おおむね
65歳以上</td><td>入居時要介護認定を受けていることが条件の場合が多い。居室は，ワンルームにトイレ付きが多い。費用は低価格から高額まで幅広い</td><td>原則居住可</td><td>介護保険法
老人福祉法</td></tr>
<tr><td colspan="3">住宅型有料老人ホーム</td><td>おおむね
60歳以上</td><td>食事や見守り等は付くが，介護は別契約で居宅サービスを利用する</td><td>ホームによる</td><td>介護保険法
老人福祉法</td></tr>
</table>

＊原則要介護３以上。市町村の関与等があれば，要介護１以上から入所が可能。
※主だった高齢者向け住宅・施設の一覧であり，全ての種類は掲載していない。
出典：高室成幸監，ケアマネジャー編集部編『ケアマネジャー手帳 2022（2022 便利帳）』中央法規出版，2021年（p.11）を一部改変

■図8－11　特別養護老人ホームの施設数と定員の推移

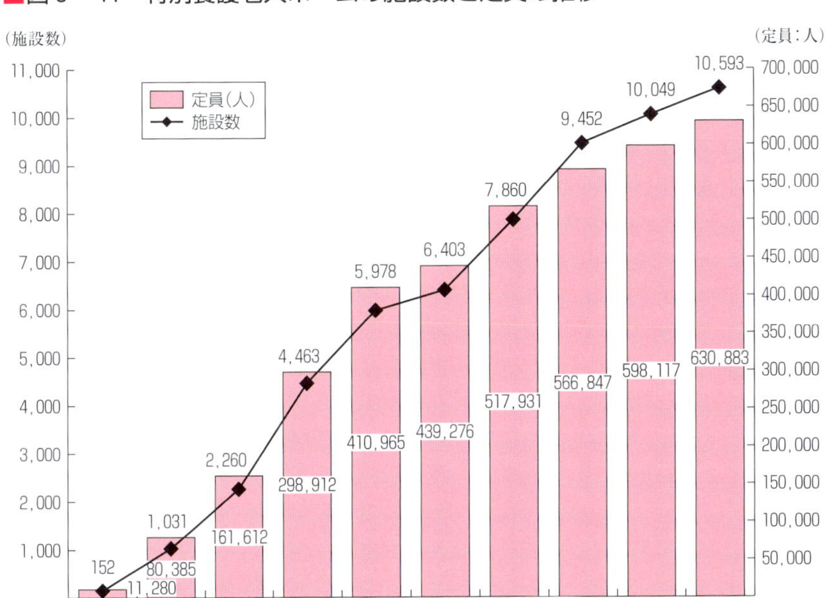

注：平成12年以降は「介護サービス施設・事業所調査」において，介護老人福祉施設として把握された数値であり，平成22年以降は同調査において，地域密着型介護老人福祉施設として把握した数値も含む。
資料：厚生労働省「社会福祉施設等調査報告」「介護サービス施設・事業所調査」
出典：厚生労働統計協会編『国民の福祉と介護の動向 2017／2018』2017年（p.188より作成）

祉施設の流れを汲む困窮する高齢者のための措置施設です。介護については，特定施設入居者生活介護の適用が可能です。

これらに加え，介護保険法の介護保険施設に「介護老人保健施設」と「介護医療院」があります。

介護老人保健施設は，生活よりもリハビリテーションに重点を置き，医療と福祉の中間的な役割を担って，住まいでの暮らしに備えます。

介護医療院は，2018（平成30）年4月に創設され，長期的に医療と介護の両方を必要とする高齢者に対し，日常的な医学的管理や看取り，ターミナルケア等を提供します。生活施設の機能も兼ね備えている長期療養型の住まいです。介護医療院の創設にともない，介護療養型医療施設は2024（令和6）年3月に廃止予定となりました。

以上が介護を提供する住まいです。

これらに対し，「サービス付き高齢者住宅（サ高住）」（高齢者住まい法）や「軽費老人ホーム」（老人福祉法）などの住まいがあります。「サ高住」はバリアフリーの賃貸住宅で，介護の必要でない人が自由度の高い生活をおくれることが特徴です。「サービス付き」といっても安否確認や生活相談は可能ですが，介護サービスが必要になったら外部のサービスを利用する必要があります。軽費老人ホームも老人福祉法の成立とともにある，低所得者向けの住まいです。種類が多様で，介護保険の適用についてもそれぞれ異なります。

なお，老人福祉施設には，在宅生活を基本として通所や短期入所などによって，生活を維持向上させる施設があります。「老人デイサービスセンター」「老人短期入所施設」「老人福祉センター」「老人介護支援センター」です。

⑶　住まいと施設をめぐる課題

単身や高齢者夫婦世帯の増加は，介護サービスの需要を拡大しています。介護保険法は日本の介護を大きく変化させました。プライバシーの守られない多床室から個室化が進められ，2003（平成15）年からは原則として全室個室でユニットケア[13)]を提供することになりました。

2017（平成29）年の厚生労働省「介護サービス施設・事業所調査」によれば，介護老人福祉施設（特別養護老人ホーム）におけるユニットケア実施施設は37.9％で，3分の1以上を占めるようになりました。また全居室数の74.6％が個室となっており，その意味でも，施設は居住できる住まいであり，地域と連続性のある場に住み替える，という発想でと

13）**ユニットケア**　特別養護老人ホームは4人部屋を主としていたが，プライバシー保護や生活の自由度を要望する声が高まり，2001（平成13）年，個室化された10人程度の少人数グループを1ユニットとしてケアを行う方式の施設が新設された。大規模施設であっても小規模な生活単位で構成され，家庭的雰囲気でプライバシーも守られる環境であるが，利用料は従来の施設よりも割高である。

らえることも可能になります。施設は地域の社会資源の一つとしての役割を有しています。

こうした日本の高齢者の住まいのあり方を展望し，課題を４点に整理してみましょう。

第一に，尊厳を尊重した質の高いサービスの確立に引き続き努力していくことです。施設における個室化や一人当たり面積の拡大，プライバシーの確保，身体拘束の禁止，食事の場所や献立，入浴回数や時間帯の見直し，文化活動の活発化，地域交流など，サービスの質の確立だけでなく暮らしそれ自体におけるノーマライゼーションの実現に向けた努力は，今後も継続が求められます。

第二に，質の高いサービスの基盤となる，計画的で法遵守の体制が確立されることが必要です。介護保険法制定以降，利用者とサービス提供者との契約に基づいて施設が経営・運営されており，計画的なサービス提供とその検証，情報管理，危機管理，透明性ある経営など，経営・運営面の基盤整備の強化が求められます。

第三に，ターミナルケアへの対応がますます求められていることに対応し，尊厳ある生涯をまっとうするための支援が充実されることです。医療や看護との連携のもとで希望する場で終末期を過ごし，一生を終えることができる社会は，人が一生を生きる意味が大切にされる，文化水準の高い社会であるといえます。

第四に，その基盤整備の意味で在宅医療の充実は不可欠であり，そのためにも介護従事者の育成と確保が求められます。待遇改善が進められていますが，専門性に対する社会的評価を高める方策の強化は十分とはいえません。介護の現場は介護福祉士の有資格者と初任者研修修了者，さらには経験のない者などによって支えられています。介護福祉士だけでなく，介護の従事者は激減し，サービスの質の確保以前に，まず日々のサービスに追われる施設もみられる状態です。

外国人介護福祉士候補者[14)]の受入れの取組みの後，2016（平成28）年に

■図8－12　サービス等の種類

令和2（'20）年4月

	予防給付におけるサービス	介護給付におけるサービス
都道府県が指定・監督を行うサービス	◎介護予防サービス 【訪問サービス】 ○介護予防訪問入浴介護 ○介護予防訪問看護 ○介護予防訪問リハビリテーション ○介護予防居宅療養管理指導 【通所サービス】 ○介護予防通所リハビリテーション 【短期入所サービス】 ○介護予防短期入所生活介護 ○介護予防短期入所療養介護 ○介護予防特定施設入居者生活介護 ○介護予防福祉用具貸与 ○特定介護予防福祉用具販売	◎居宅サービス 【訪問サービス】 ○訪問介護 ○訪問入浴介護 ○訪問看護 ○訪問リハビリテーション ○居宅療養管理指導 【通所サービス】 ○通所介護 ○通所リハビリテーション 【短期入所サービス】 ○短期入所生活介護 ○短期入所療養介護 ○特定施設入居者生活介護 ○福祉用具貸与 ○特定福祉用具販売 ◎施設サービス ○介護老人福祉施設 ○介護老人保健施設 ○介護療養型医療施設 ○介護医療院
市町村が指定・監督を行うサービス	◎介護予防支援 ◎地域密着型介護予防サービス ○介護予防小規模多機能型居宅介護 ○介護予防認知症対応型通所介護 ○介護予防認知症対応型共同生活介護（グループホーム）	◎地域密着型サービス ○定期巡回・随時対応型訪問介護看護 ○小規模多機能型居宅介護 ○夜間対応型訪問介護 ○認知症対応型通所介護 ○認知症対応型共同生活介護（グループホーム） ○地域密着型特定施設入居者生活介護 ○地域密着型介護老人福祉施設入所者生活介護 ○看護小規模多機能型居宅介護 ○地域密着型通所介護 ◎居宅介護支援
その他	○住宅改修	○住宅改修

市町村が実施する事業	
◎地域支援事業	
○介護予防・日常生活支援総合事業 (1)　介護予防・生活支援サービス事業 ・訪問型サービス ・通所型サービス ・その他生活支援サービス ・介護予防ケアマネジメント	(2)　一般介護予防事業 ・介護予防把握事業 ・介護予防普及啓発事業 ・地域介護予防活動支援事業 ・一般介護予防事業評価事業 ・地域リハビリテーション活動支援事業
○包括的支援事業（地域包括支援センターの運営） ・総合相談支援業務 ・権利擁護業務 ・包括的・継続的ケアマネジメント支援業務	○包括的支援事業（社会保障充実分） ・在宅医療・介護連携推進事業 ・生活支援体制整備事業 ・認知症総合支援事業 ・地域ケア会議推進事業
○任意事業	

出典：厚生労働統計協会編『国民の福祉と介護の動向 2020／2021』2020年（p.153）

■図８－13　地域包括ケアシステム

○団塊の世代が75歳以上となる2025年を目途に，重度な要介護状態となっても住み慣れた地域で自分らしい暮らしを人生の最後まで続けることができるよう，医療・介護・予防・住まい・生活支援が一体的に提供される地域包括ケアシステムの構築を実現していきます。
○今後，認知症高齢者の増加が見込まれることから，認知症高齢者の地域での生活を支えるためにも，地域包括ケアシステムの構築が重要です。
○人口が横ばいで75歳以上人口が急増する大都市部，75歳以上人口の増加は緩やかだが人口は減少する町村部等，高齢化の進展状況には大きな地域差が生じています。
○地域包括ケアシステムは，保険者である市町村や都道府県が，地域の自主性や主体性に基づき，地域の特性に応じて作り上げていくことが必要です。

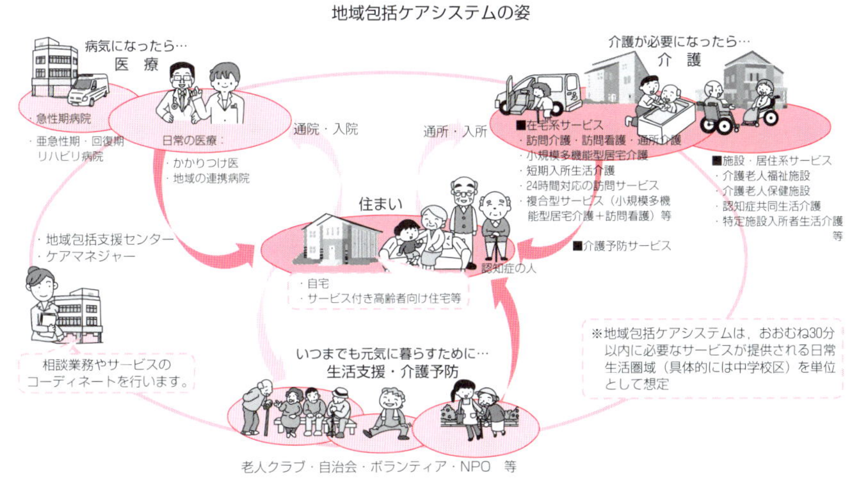

出典：第46回社会保障審議会介護保険部会（資料３）2013年

は入国管理法が改正されて，介護福祉士養成施設の卒業により，日本在住が可能となりました。介護従事者の不足を外国人労働者によって補おうとする方針には賛否があります。長期的な日本での居住がはじまれば，教育や医療，生活の保障への対応をどのように行うのかという問題も避けては通れません。

現在，日本は世界に類を見ない急速な高齢化を経験しています。高齢

14）**外国人介護福祉士候補者**　EPA（経済連携協定）に基づき，2008（平成20）年，外国人看護師・介護福祉士の受入れが開始された。日本語などの研修を経て現場で就労あるいは就学し，介護福祉士国家試験に合格することによって介護福祉士資格を取得して日本で働くことができる。インドネシア，フィリピンに続き，2014（平成26）年からはベトナムからも受け入れている。

期の住まいと地域社会のあり方について検討を続ける必要があります。より良い介護人材を育成し，さらに質の高い介護を提供することや介護予防をより強力に進めること，そのいずれにも，介護機器やロボット，AIの活用など開拓的取組みが期待されます。

5 地域包括ケアシステムの構築

(1)　「地域包括ケア」推進の意義

「できれば住み慣れた我が家・地域社会で過ごしたい」と願う高齢者にとって，それを実現する方策は，希望であると同時に高齢者福祉の財政負担を少しでも軽くするために検討が必要な政策課題でした。施設利用は無料という時代には，旧来の救済施設のイメージが残っていたことも影響し，施設に入所するのは家族がいない「気の毒な人のやむを得ない選択」とも考えられがちであったことは否めません。

試行錯誤の結果，21世紀を迎えて介護保険制度の導入に至り，多様な経営主体の参入も認められるなどして，高齢者の選択の幅は広がりました。寝たきりや心身の不自由な状態になっても，ケアサービスをより効果的に利用して自宅で暮らし続けられることが重要です。そのため，資源の多様化だけではなく，ケアサービスを効率的かつ効果的に選び生活をデザインする仕事は，ケアマネジャーによって行われています。このような一連の方法の整備によって，地域社会での生活を継続できるような工夫は前進しました。

しかし，個別的なサービスを効率よく組み合わせてケアをしても，健康状態や生活に変化があると対応ができなくなります。たとえば，入院したり施設に入ったりすると，生活の流れやケアマネジャーとの関係が途切れてしまい，自宅で大事にしていた生活を維持できなくなります。そうした生活の変化が自立度の低下や心身の不調を招きかねません。

地域包括ケアシステムは，2010（平成22）年，社会保障審議会介護保険部会が「地域包括ケアシステムの実現と給付と負担のバランスの確保」をし，介護保険制度自体が持続可能であるための改革でもありました。「介護保険制度の見直しに関する意見」（2010（平成22）年）をふまえた介護保険法の改正（2011（平成23）年）において「地域包括ケア推進」に基づく将来像が示されたことは，先に紹介したとおりです。

その意義は，住み慣れた地域や自宅で安心して生活を継続できるよう，これまでの日本の地域福祉が「お互いの助け合い」という理念先行になりがちであった姿から具体的な拠点づくりや可視化された方策が講じられたことにあります。

⑵　地域包括ケアシステムの実際

地域包括ケアシステムは，高齢者の個別的ニーズに対応できるよう，自宅か施設の二者択一ではない，多様な「住まい」[15)]を供給して生活基盤を確立し，日常生活圏域という一定のエリア内で，医療，介護，予防，そして生活支援サービスを総合的に切れ目なく提供できる支援体制です。

日常生活圏域はおおむね30分以内で駆けつけられる，中学校区が想定されています。エリア内にさまざまなサービス提供体制を整え，入院から，退院，住まいへの復帰，リハビリ，生活支援サービスなど，健康や生活の変化があっても，本人を主人公として，その人らしい生活を維持しようという考え方です。

このシステムの中核拠点は「地域包括支援センター」です。地域包括支援センターは介護保険法に定められています。目的は「地域住民の心身の健康の保持及び生活の安定のために必要な援助を行うことにより，その保険医療の向上及び福祉の増進を包括的に支援する」ことです。すべての市町村に直轄型または社会福祉法人や医療法人，NPO団体といった法人への委託型など，全国に5221か所（2020（令和２）年４月末）が

15）多様な「住まい」　住まいの種類等についてはp.182参照。

■図８－14　地域包括支援センターについて

地域包括支援センターは，市町村が設置主体となり，保健師・社会福祉士・主任介護支援専門員等を配置して，住民の健康の保持及び生活の安定のために必要な援助を行うことにより，地域の住民を包括的に支援することを目的とする施設。（介護保険法第115条の46第１項）

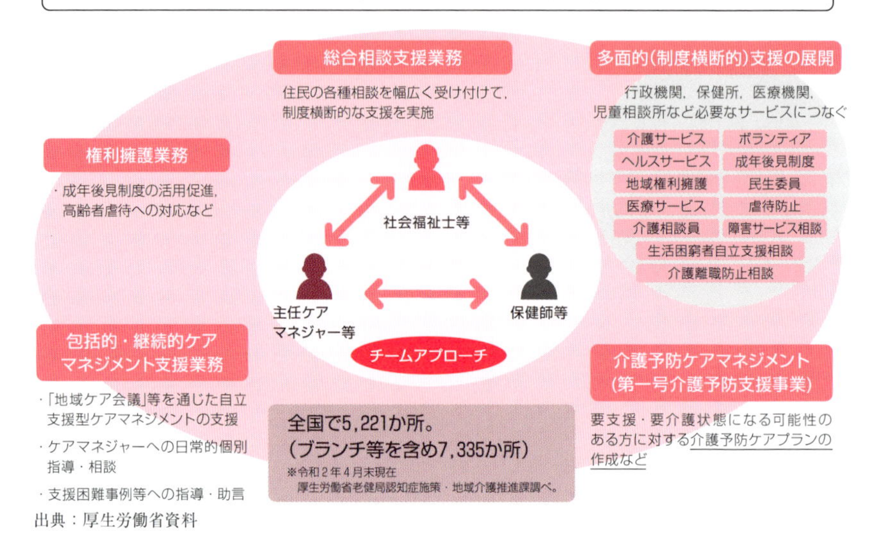

出典：厚生労働省資料

設置されています。

「地域包括ケアシステムの強化のための介護保険法等の一部を改正する法律」（2017（平成29）年）以降，地域包括支援センターが設置され始めた時期（2005（平成17）年）よりも地域社会全体を対象にケアの中核を担う役割となっています。

介護保険サービスに関しては，包括的，継続的，予防的なケアマネジメントを行うことを中心業務としながら，権利擁護業務や総合相談支援業務などを通じて家族や地域への働きかけや制度横断的で多面的な支援のための連携を幅広く行います。

また，「地域ケア会議」[16]を主催して，地域内の支援困難事例のケアのあり方について検討し合い，より良いケアのあり方を展開できるようにしていきます。さらに「地域ケア推進会議」では，個別の事例から地域における課題を明確化し，課題解決に必要な社会資源の開発や地域づくりを目指します。

これらが機動的に展開できるよう，地域包括ケアセンターの主任ケアマネジャー等は，社会福祉士，保健師，介護や医療の従事者等，それぞれの専門家によるチームアプローチを運営していきます。多職種連携によって，それぞれの専門性を活かした総合的支援を目指すことが今後の包括ケアの方向性です。

(3)　地域包括ケアシステムの課題

2017（平成29）年の法改正においては,「地域包括ケアシステムをさらに深化，推進」させることを目指して，自立支援と重度化防止に向けた市町村の機能強化に取り組むこととなっています。

また，2020（令和２）年の法改正では，地域の実情に応じた介護施策となるよう，介護保険事業計画を作成する際には市町村の人口構造を勘案することや，地域の介護資源の一つとして有料老人ホームを位置づけ，設置状況の把握を進めるとともに，設置等の簡素化に向けた見直しが行われることとなりました。不足が懸念されている介護人材の確保については，その業務の効率化の取組みが加えられています。

さらに，地域の特性に応じた認知症施策や介護サービスの提供体制を整備するため，国と地方公共団体による施策の推進が努力義務化されました。市町村の地域支援事業の関連データの活用も努力義務とされるなど，医療・介護のデータ基盤を整備して効率的で無駄のないサービス提供を進めることが定められています。

こうした展開において，30分という日常生活圏域内に適正規模の社会資源を整えるためには，市町村や，場合によっては市町村を越えた計画的な配置が望まれます。小規模な地域内に整備すべき資源と，中規模，

---

16)　**地域ケア会議**　医療，介護，予防，生活支援，住まいなどが一体的に提供される地域包括ケアシステムを構築していくための重要なツールと位置づけられている取組みで，個別事例の検討を通じて，多職種協働により，地域での自立した日常生活を営むために必要な支援体制を検討し，地域ネットワークを構築していくための会議。2015年改正により制度的な位置づけが確立された。

大規模な圏域に整備することが望ましい資源を効率的に配置しながら，情報の共有とプライバシー保護を両立させてケアを充実させる考え方が必要とされるでしょう。

第9章　地域福祉推進と地域共生社会への展望

Point

◆2000（平成12）年，社会福祉法において地域福祉推進の方向性が明記され，2020（令和２）年の法改正において，地域住民主体の地域福祉の推進と，地域包括ケアシステムの積極的な展開が示されました。

◆「地域における『新たな支え合い』を求めて――住民と行政の協働による新しい福祉」（2008（平成20）年３月「これからの地域福祉のあり方に関する研究会報告書」）から地域福祉の考え方を理解できます。

◆地域福祉の主役は当事者を含む地域住民です。地域固有の生活課題の解決や，そのための資源の開発において，多種多様な立場の機関や人々の連携と協働が必要であり，そのためのコーディネート機能の充実が求められます。

◆この章では，地域福祉の意義と目的，実現の方法を学ぶとともに，地域福祉の将来像について考えてみましょう。

1　地域福祉推進への展開

(1)　地域福祉とは

地域福祉はわかりにくいという声をよく耳にします。

20世紀後半期に発展した日本の社会福祉は，施設福祉が中心でした。地域社会という，境界線の不明瞭な「生活の場」を舞台に住民すべてが対象で，参加者でもある地域福祉は，目に見える施設で職員がサービスを提供することに比べて，確かにわかりにくいかもしれません。地域福祉では，多様な専門的機関や専門職だけでなく，地域住民，ボランティア，NPO団体，最近では企業も加わり，多種多様な関係者が活動することによって発展することが大きな特色です。

そして，高齢者だけではなく，子どもや障がい者，さらには生活上の小さな困りごとのある人たちを早く発見して，課題の解決を支援することが大事な役割になります。いわば初期対応や予防的な方策の充実している街づくりを目指している活動ということができます。加えて，継続的な見守りや専門機関をはじめとする社会資源とのつながりを地域社会のなかに網の目のようにつくり上げていくことも大事な役割です。

誰もが住み慣れた場で自分らしい時間を過ごせるよう，本人みずからが小さな意思決定を積み重ねていける，それが福祉の実現です。好む住まい方や生活リズム，食事の内容や方法，好きな色や服装，誰かと交流する楽しさ，文化や芸術，スポーツにふれる喜びなど，その人らしい生活を地域で実現していく創意工夫が地域福祉の目指す姿です。

ともすれば，地域福祉は自宅でサービスを利用できる在宅福祉サービスの充実を目指しているように考えられがちですが，そうではなく「地域社会の一員」として能動的にも受動的にも社会とかかわり合い，つながり合い，支え合いながら，互いに尊厳のある暮らしができる社会づくりを目指します。

地域福祉を進めるには，まず，誰がどのような支援を必要としているか，地域の実態把握から始まります。地域にはそれぞれの歴史や文化に根ざした個性があり，近隣との付き合い方など社会関係のあり方も，解決すべき課題や優先順位も異なっています。また，サービスの提供主体も現在では，地域住民の互助，ボランティア活動もあれば，行政サービスによる活動，企業が実施するサービスなど，さまざまで，地域によって整備状況や特色が異なっています。

地域福祉を進める際，「助け合い」や「支え合い」の気持ちが重視されますが，それだけに頼っても実現できません。また，行政サービスの充実を待っているだけでも実現できません。

それぞれの地域の行政と住民，ボランティア，NPO団体など関係者が，目指したい地域社会のあり方や参加意識を共有し，地域の実情に合致した支援の協働体制を構築する過程それ自体が，地域福祉の充実ならびに地域社会づくりにつながります。

(2) 地域福祉推進の背景

1980年代以降，さまざまな取組みがなされてきましたが，社会福祉基礎構造改革[1)]を経た大きな転換によって，地域福祉が推進されてきました。

2000（平成12）年の社会福祉法において，「地域福祉の推進」が初めて定められたことにより，地域福祉が社会福祉の主流となることが明示されました。当時の条文には，「地域住民，社会福祉を目的とする事業を経営する者，社会福祉に関する活動を行う者は相互に協力し，福祉サービスを必要とする地域住民が地域社会を構成する一員として日常生活を営み，社会，経済，文化その他あらゆる分野の活動に参加する機会が与えられるように，地域福祉の推進に努めなければならない」と記されています。

そして，2020（令和２）年，「地域共生社会の実現のための社会福祉法等の一部を改正する法律」において，地域福祉への取組みをさらに強化する国の姿勢が示されています。「地域福祉の推進」の条文の第１項が追加されていますが，それを見ると，地域住民が地域福祉の推進の主体であることが強調されていることがわかります。

1）社会福祉基礎構造改革　p.46参照

地域福祉の推進（社会福祉法　第４条）

昭和26．３．29　法律45
最終改正　令和３年法律30

第４条　地域福祉の推進は，地域住民が相互に人格と個性を尊重し合いながら，参加し，共生する地域社会の実現を目指して行われなければならない。

現代の地域福祉への展開過程をたどると，住民主体の展開の歴史と国の方針に基づく展開の歴史が交錯しているように思われます。それは，とりもなおさず，地域福祉の主体は誰かという問いであり，住民と行政の関係を整理し，役割分担と協働を重ねるなかから地域性を反映した地域福祉のありようを模索し構築する難しさでもあります。

日本で地域福祉が意識されるようになったのは1970～80年代です。ノーマライゼーションの思潮の広がりやイギリスのコミュニティケアの影響も受けていました。当時の日本では生活上の問題は家族で解決すべきという意識が根強く，社会福祉は一部の困った人のためのものととらえられていました。しかし現実には家族や地域社会の弱体化が進み，対策が必要であることは政府も認識していました。

1980年代はオイルショックによる経済状況の悪化により，社会福祉予算の削減や公的サービスが縮小された時期であり，地域福祉に対しては，助け合いに依存した「安上がり福祉」という批判もなされつつ，1990年代には社会福祉基礎構造改革を通じて，地域福祉への転換が提案されました。

一方，行政サービスを要求し，改善を待つだけではない，住民主体の自発的福祉活動も活発化しました。「**住民参加型福祉サービス**[2)]」がその

2）**住民参加型福祉サービス**　高齢者を中心に家事援助や介護，配食などを低額な料金で行う会員制の互助組織で大都市近郊に多く設立された。依頼する側，支援する側双方が会員となり，支援側の主力は主婦層であった。無償よりも低額な有償のほうが利用者も依頼しやすいとのことから，「有償ボランティア」の造語も生まれた。

例にあげられます。こうした活動は，当事者みずからも会員となる方法や高齢者自身の自己決定に基づく依頼など，「住み慣れた地域，住み慣れたわが家」で生活を継続するためには当事者を含む住民参加が重要であることを広く啓発することにもつながりました。

地域福祉推進においては住民の参加・参画が定着していくことは常に課題となります。厚生労働省の「これからの地域福祉のあり方に関する研究会」は，その報告書「地域における『新たな支え合い』を求めて――住民と行政の協働による新しい福祉[3)]」（2008（平成20）年）において，地域福祉の推進主体が地域であることや，支え合いの仕組みを地域に構築する必要性があることなど，地域包括ケアシステムにつながる考え方を示しています。

2　地域福祉における行政の役割

(1)　地域福祉推進における国と地方行政の関係

地域福祉では，住民に最も身近な市町村行政の果たす役割が大きくなります。市町村は総合的な地域福祉の推進役ですが，福祉に限らず，住民のニーズを把握しスピーディかつ的確に解決していけるよう，行政としての権限や財源が必要です。

地域の諸課題に対して住民に身近な地方公共団体が総合的に担うことができ，住民みずからも取り組めるよう，1993（平成５）年以来，地方分権改革が進められてきました。「地方分権の推進を図るための関係法律の整備等に関する法律（地方分権一括法）」（1999（平成11）年）の成立により実現した第１次地方分権改革では，国と地方との関係を上下関

3）地域における「新たな支え合い」を求めて――住民と行政の協働による新しい福祉　地域社会を最も身近な小地域の圏域（１層）から２層，３層と広げて設定し，その圏域ごとに専門機関やサービスを提供するモデルを示すと同時に，住民と行政の協力，協働を発展させて支え合う地域社会を目指すことを提唱している。

係ではなく対等・協力関係とする地方分権型行政システムが構築されました。

「地方分権改革推進委員会」発足（2007（平成19）年）から始まる第２次地方分権改革においては，地方への積極的な事務・権限移譲と同時に都道府県から市町村への事務・権限移譲も進められ，2014（平成26）年には，権限移譲や規制緩和に関する「地方分権改革に関する提案募集方式」も導入されました。この間，「地域主権戦略会議」の設置（2009（平成21）年）では，地域に関することは地域住民が決めるという方針が示されています。2021（令和３）年５月の「地域の自主性及び自立性を高めるための改革の推進を図るための関係法律の整備に関する法律」（通称，第11次地方分権一括法）の施行まで，多くの権限が地域の自主性と自立性に任されるに至っています。

地方分権改革によって，市町村が実情に沿って機動的に活動できるようになることは，地域福祉の推進においても重要なことですが，その前提には，国による法整備や，地域福祉の基盤のミニマムを整備することが求められます。社会資源の整備状況や介護保険の運営など，地方への移譲が市町村の行財政負担を重くし，必要に応じた方策を実現しづらい状況も生まれかねないことが課題となります。

⑵　地域福祉の計画策定

社会福祉法では，市町村に対し地域福祉の推進を計画的に進展させることを目的として，「市町村地域福祉計画」の策定が努力義務として定められています。地域福祉計画を策定している市町村（東京都特別区を含む）は，2020（令和２）年４月１日現在，1,741市町村です。

その内容には，「地域生活課題の解決に資する」包括的な支援体制の整備が位置づけられ，計画策定に際しては，市町村が地域住民などの意見を十分にふまえることが努力義務とされています。

地域住民の意見を反映させるため，計画の策定委員会を設置する際，住民代表や，当事者など，幅広い立場の人を加えます。委員会の内容や資料も原則として公開されています。

市町村地域福祉計画　（社会福祉法　第107条）

昭和26．3．29　法律45
最終改正　令和３年法律30

（市町村地域福祉計画）

第107条　市町村は，地域福祉の推進に関する事項として次に掲げる事項を一体的に定める計画（以下「市町村地域福祉計画」という。）を策定するよう努めるものとする。

一　地域における高齢者の福祉，障害者の福祉，児童の福祉その他の福祉に関し，共通して取り組むべき事項

二　地域における福祉サービスの適切な利用の推進に関する事項

三　地域における社会福祉を目的とする事業の健全な発達に関する事項

四　地域福祉に関する活動への住民の参加の促進に関する事項

五　地域生活課題の解決に資する支援が包括的に提供される体制の整備に関する事項

２　市町村は，市町村地域福祉計画を策定し，又は変更しようとするときは，あらかじめ，地域住民等の意見を反映させるよう努めるとともに，その内容を公表するよう努めるものとする。

３　市町村は，定期的に，その策定した市町村地域福祉計画について，調査，分析及び評価を行うよう努めるとともに，必要があると認めるときは，当該市町村地域福祉計画を変更するものとする。

社会福祉法第108条では，市町村地域福祉計画の達成に資することを目的として，都道府県による「都道府県地域福祉支援計画」を定めることを努力義務としています。

いずれの計画も，計画の達成状況に対する評価を定期的に行い，現実に即した目標設定や計画策定への修正を行うことが定められています。

地域福祉計画の策定や評価，いずれの段階においても，住民参加は極めて重要な要素です。住民と市町村行政の協働を進めるための方法も意見聴取にとどまらず，ワークショップや調査，福祉マップづくり，事例検討など意見の反映につなげる工夫が進められています。

3 地域福祉推進の担い手

(1) 社会福祉協議会

社会福祉協議会は，地域の社会福祉活動の企画や連絡調整，普及啓発活動などを実施する役割を担う組織です。

全国社会福祉協議会は，1951（昭和26）年の結成以来，民間の立場から地域福祉の向上を目指して活動してきました。1966（昭和41）年，社会福祉法人化されている市町村社会福祉協議会には「福祉活動専門員」を国庫補助により配置できることになり，社会福祉法人化が急速に進みました。

社会福祉協議会の特徴は，民間組織として地域の社会福祉を協議し推進していくことです。行政とは異なる立場で住民参加をうながし，地域全体を福祉コミュニティへと組織化，展開していく役割を担います。

市町村社会福祉協議会は，住民参加をうながす活動の具体的な計画である，「地域福祉活動計画」を策定します。これは，住民ニーズの具体的把握と解決のための活動の組織化や拠点づくり，福祉のまちづくり，住民の啓発活動を行うための，より具体的なアクションプランです。地域福祉活動計画の策定と実行は社会福祉協議会の重要な役割です。また，さらに小さな地域を単位とする「地区社会福祉協議会」を組織して区域内の社会福祉事業を推進することができ，小地域での見守り活動や支援の必要な人への初期対応など，身近な地区ならではの活動も可能です。しかし，住民の自主性に任される面が強く，組織率や活動内容，活性度には地域ごとに大きな差があります。

市町村社会福祉協議会の財源の大半が補助金や委託金で構成され，住民を主体とした会費など自主財源の確保は十分とはいえません。市町村社会福祉協議会の「心配ごと相談」や都道府県社会福祉協議会の「生活福祉資金貸付」など古くから継続されてきた住民のニーズにこたえる事業は数多くありますが，一般市民への周知度が決して高くない点も課題です。

(2) 民生委員

地域の生活に最も密着して，地域の福祉を支える役割を担っているのは民生委員[4)]です。2020（令和２）年度末，全国で約23万人が厚生労働大臣に委嘱されて活動しています。

民生委員は，地域社会の福祉の増進のために担当地域の住民の生活状態を把握し，相談等の援助を行います。行政補助，行政協力の役割を担う面が強いのですが，研修も多く行われ，自発的に有意義な活動を行う民生委員は，地域の相談役として重要な役割を果たしています。

なお，民生委員は児童福祉法に定められる児童委員を兼ねています。1994（平成６）年以降，児童福祉を専門的に担当する主任児童委員が委嘱され，担当地域をもたずにもっぱら地域の児童福祉機関と児童委員とのパイプ役などを果たしています。

(3) 社会福祉施設

社会福祉施設では，種別ごとに目的とするサービス提供が行われますが，それにとどまらず，地域社会の福祉のニーズにこたえ，地域と密着した福祉のあり方を打ち立てる拠点となることが求められています。

現在では，各施設とも経営努力が求められるようになり，住民から評価され，選ばれる施設づくりを目指す必要性が増しています。

また，ノーマライゼーションの思想の普及により，地域で暮らすことができなくても，利用者の施設内での生活を，できるだけ地域に開かれた，普通の生活に近づけるような努力が必要であり，その面からも社会福祉施設と地域社会との関係は強くなっていきます。

4）**民生委員**　民生委員法に定められ，担当の地区内で住民の立場に立って相談に応じ，必要な援助を無報酬で行う者。人格識見が高く，社会事情に明るく，かつ，社会福祉の増進に熱意ある地域住民のなかから民生委員推薦会が推薦した者について都道府県知事が地方社会福祉審議会の意見を聴いて，厚生労働大臣に推薦し，厚生労働大臣が委嘱する。任期は３年。

第８章でも述べたように，社会福祉施設は「住まい」として地域の社会資源に位置づけられるようになっています。意思に反して入所する，というのではなく，地域社会のなかで暮らし続けることのできる選択肢の一つと考えることができます。とすれば，地域住民の意見を反映した施設＝住まいが一定の圏域内に適切な量，十分な質をともないながら設置されていくことが，地域福祉推進においてはたいへん重要であり，単に規制緩和による企業間の競争がその住まいの質を高めることにつながるのかどうか，住民参加の地域福祉が進む過程で問われる課題ではないでしょうか。

⑷　ボランティア・NPO団体

日本でボランティア活動が広がりを見せるようになった契機は，阪神・淡路大震災（1995（平成７）年）でした。同年は「ボランティア元年」とよばれ，その３年後には，「特定非営利活動促進法」（NPO法）が制定されました。

しかし，それ以前に，たとえば住民参加型福祉サービスの発展にみられるように，1980年代以降，ボランティア活動は個人的な活動から自主的に組織化されるようになっていました。NPO法制定を待って，より組織的，広域的な活動へと転じた団体は決して少なくありません。NPO法によって法人格を取得し，国や地方公共団体，関係各団体からの委託事業を受託するなど，さまざまな活動を発展させ，地域福祉を担う存在となっています。

また，ボランティアから出発したグループのなかには，社会福祉法において社会福祉法人の設立要件の一部が緩和されたことを機に第二種社会福祉事業を実施する社会福祉法人を設立した団体もあります。

ボランティアは，制度の谷間にある福祉ニーズを発見し，その解決のための役割を果たしてきました。地域福祉を前進させる原動力です。

日本ではボランティアが定着しないということが，しばしば指摘されてきましたが，度重なる災害を通じて災害ボランティアの派遣システムができるなど，ボランティア活動は自然な形で広がってきたことも確かです。

4 住民・当事者参加と地域共生社会構築への展望

(1) 地域福祉発展の担い手の主役

地域福祉の主人公は誰か，それは当事者と当事者を含む地域住民です。

社会福祉の発展過程において，当事者やその家族は，希望を表現しづらい立場におかれ，要望の多くを呑み込み，権利の主張を諦めていた時代があったといえます。

地域社会は生活課題の発生の場です。課題発生の場において，当事者やその家族の状況，課題の内容を認識し解決方法をともに考える住民，丁寧に対応をする専門職，行政など関係者がそれぞれの立場から協働し，課題の解決を目指し，予防的な社会の機能をも強めていくことが求められます。

また，かつては，住民も，直面する生活課題の解決を行政に要望し，委ねる立場にありました。当事者を含む住民は「助けてもらう」立場であり，多くを語ることなく，国の定めた制度の最大限の活用が福祉の実現であるととらえられていたといえるでしょう。

しかし，地域福祉の考え方へと転換するなかでは，当事者つまり住民みずからが発言や提案をする機会をもち，解決への方策を考案し実践にも関与して，暮らしやすい地域社会の構築に力を発揮する主役です。

当事者を含むすべての住民は，みずから生活を守り，互いに支え合う力を発揮し，地域社会をより良いものとする活動に参加する権利と責務を有する存在です。地域福祉の展開においては，すべての人が主人公です。自発的に生活課題の解決にどのようにかかわり，参加するかを考え，アイディアを出し合い，将来の社会福祉や地域福祉をより豊かなものとしていくために参加します。そうした能動的な姿勢をもつ人々を，一人でも多く育てるためには，学校や地域社会における福祉教育[5)]の充実が必要とされます。

⑵　地域福祉における地域包括ケアシステムの意義

2003（平成15）年に「地域包括ケアシステム」が提起されてから約20年を経て，地域で生活することを希望する人々の介護について子ども，とりわけ独立家計を営む子どもやその家族が支援主体であるとするような考え方は変化してきました。自宅とは限らず，地域社会で看取りを推進するようなルールづくりが進められてきました。第８章で紹介したように，介護や看取りの主体は家族から社会的支援へと大きく変化し，人生の最終段階のケアについての意思決定は，子どもや孫に限らない，社会的支援を活用する選択肢を用意することに踏み込んだ展開です。

2012（平成24）年に示された「自助・互助・共助・公助[6)]」の区分を整理した図９－１によれば，「自助」および「互助」の部分が，これまでの地域福祉の推進において重視されてきた区分です。

近隣や住民同士の助け合いや支え合いが難しい時代が続いていることを認識したうえで，地域包括ケアを導入することは，家族が担ってきた無償のケアを有償化・社会化する試みでもあります。

介護問題への対応をめぐって構想されてきた，ケアシステムの考え方は，高齢者介護に限らず，今後，子どもや障がい者についても，進められていくことになります。

地域包括ケアシステムは，いわば，地域福祉を展開するために地域に埋め込まれる装置のようなものです。その装置をどのように機能させる

５）福祉教育　福祉教育は主に二つの意味で用いられる。子どもから高齢者まで一般の人々を対象として行われる教育と，大学等高等教育機関で行われる社会福祉の専門教育や教養教育である。加えて資格取得を目的として社会人が新たに学びなおす場合や，既に専門職に従事している人が別の資格を取得するために行われる専門教育を指す場合にも用いられる。

６）自助・互助・共助・公助　p.11，18参照

■図9－1　「自助・互助・共助・公助」からみた地域包括ケアシステム

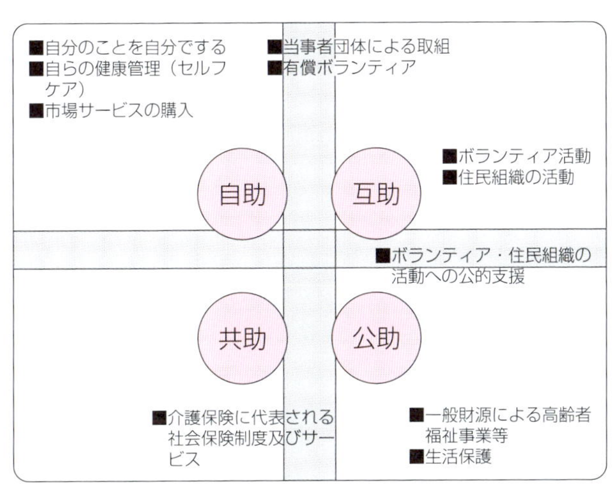

出典：「地域包括ケア研究会報告書」より，平成29年３月

ことができるか，それが，社会福祉を地域福祉へと再編成させる方向性を決めます。

それぞれの地域で蓄積されてきた実践や独自に育てられた社会資源が有効に機能し，医療，保健，介護，看護，教育，リハビリテーションなど専門的なサービスはいうまでもなく，住宅や移動手段，まちづくり，そして衣食住の生活など，社会生活のあらゆる場面に福祉の理念を含み込ませていく取組みが進められ，地域包括ケアシステムがより効果を発揮できるようになることが期待されます。

(3)　地域共生社会に不可欠なコーディネート機能とは

地域包括ケアシステムの定着と，地域住民の参加を前提とする地域福祉の充実とは「地域共生社会」の実現にとって不可分です。自助，互助，共助，公助のなかでも，身近な互助と介護保険のような共助を十分に活性化させることが，地域福祉あるいは地域共生社会の実現に近づける方策となります。

住民が主役とはいえ，その主体性だけに期待して任せきりにすることで地域の福祉を実現することはできません。地域社会において，人と人，人と地域の社会資源をつなぎ，不足する社会資源をつくり出すことに結びつけていくような，専門性のあるコーディネート機能が最も重要な役割を担うということを理解しておきましょう。

地域福祉の展開において，コーディネート機能は早くから着目されてきました。

1991（平成３）年に開始された「ふれあいのまちづくり事業」では市町村社会福祉協議会で活動する「地域福祉活動コーディネーター」が創設されて，福祉サービスやボランティア活動基盤強化に加え，専門的対応が必要な福祉ニーズに関する処遇検討会の設置や小地域福祉ネットワークづくりなど，地域という１つのエリアにおいて，試行的，先駆的なコーディネート機能を発揮して地域福祉を定着，発展させる取組みが行われました。

地域包括ケアシステムにおいては「生活支援コーディネーター」が創設されて，日常生活圏域の地域包括支援センターや地域におけるケアを担う場で活動することになっています。この構想では，地域の人材を配置するとしており，専門性が十分に担保されているとはいえません。

地域共生社会を目指すという共通の目標に向けて，地域包括ケアと地域福祉の関係は，今後，整理されていくことになるでしょう。その過程で，地域社会における固有の課題にどのような支援を構築し，どのように有意義な支援をコーディネートすることができるか，コーディネーターの役割を見直し，専門的機能を明確にしていくことが必要です。

これまで，地域社会を対象とする支援をコーディネート機能として説明してきましたが，近年では，コミュニティソーシャルワークという領域が確立してきています。コーディネートはコミュニティで活躍するコミュニティソーシャルワーカーの役割の一つと考えることができます。

Column 「地域をつなぐ」とは

地域社会を基盤として人間の絆を新たに結びなおして地域をつないでいくという地域福祉を次のようにイメージしてみてはどうでしょうか。

小さなボートが，ぽつりぽつりと浮かんでいる大海原を空から眺めている鳥の目になって想像してみましょう。

水面にゆらゆらと浮かび，いかにも不安定な小さなボートの一つひとつが私たちを含む一人ひとりの暮らしです。やがて，近くにも同じようなボートがあることに気づきますが，互いに近づく気持ちがありません。しかし悪天候になり，互いに声をかけ合うと心強いことに気づき，ボート同士，自発的に連絡を取り合うようにとうながすボートが現れます。

そのボートは島に船着き場から必要な物資を届けたり，ボート同士が情報をやり取りできるよう，地道にボートの間をめぐってつながりをつくります。これが，コミュニティで活躍するソーシャルワーカーあるいは地域社会で活躍するコーディネーターの役割の一つです。困り事のある人，生活のしづらさのある人に出会ったら，どうしたらよいかを考え，皆の力を発揮してもらいながら改善する仕事を専門に行う人がいれば，地域社会はより早く，より暮らしやすくなるでしょう。

こうした専門職の力だけでなく，ボートの漕ぎ手が互いの存在に気づき，交流し，主体的に助け合う力を引き出すことも大事です。遠くの砂浜で手を振る人に気づき，その人を仲間に入れることができるようにもなります。

船をもっと良いものにするための材料を集めて提供してくれる人，船をつくる人，空を眺めて天候を予想する人，悩み事に耳を傾けてじっと聴く人，困っている人を助ける人，それぞれがそれぞれの役割を果たしていくことで，ぽつりと浮かんでいた小さな手漕ぎボートは，あるときは助けられ，あるときは助ける側になりながら，互いのつながりにおいて生活できるようになっていきます。

船と船とをつなぐための効率的な情報のやりとりを可能にする方法，緊急事態を知らせる方法，すぐに駆けつける方法，そうした約束事を決めるのは法制度の役割です。住民により主体的に決められると，より生活しやすくなっていきます。

高齢社会を支えるための住まいや設備，サービスも法制度によって整えられてきました。緊急時の対応も可能です。安全で安心で効率的な環境です。高齢者の多くが自宅で自由な暮らしを望む想いと，効率的な施設サービスを両立する方法として，地域包括ケアシステムの可能性が着目されます。地域社会を一つの大きな施設のように考えてみると，地域という大海原に居住機能と多様なサービス機能が整えられた姿を目指すのが，地域包括型ケアであるということができます。

⑷　地域共生社会実現への展望

地域福祉の推進には，地域社会の崩壊に歯止めをかけ，互いの助け合いを推奨し，人間関係や近隣関係を再生させることを通じて，公的サービスの抑制につなげる意図も見え隠れします。いわば地域再編政策の性格を有しており，地域社会に内在する支援力に期待し，それを引き出す，あるいは再生させるという発想が，地域福祉への期待を盛り上げてきました。互助的な農村型の地域社会や，多世代同居の家族に対する漠然とした郷愁も根底に残存していると思われます。

しかし，都市化や高齢化，さらには地域社会の国際化が進み，社会は激変しています。新たに開発された住宅地や集合住宅に，さまざまな地域から移り住んだ人々によって地域社会が構成されるようになりました。異質な地域住民が集まっている生活には共通項が少ないだけでなく，従来からその地に住み続けてきた住民との間に，生活感覚や価値観の相違から軋轢（あつれき）が生じる事例も生まれています。

個人化が進む地域社会においては，たとえば子どもの保育や教育，親の介護などの生活課題に直面しても，地域社会の支援は十分に機能せず，孤立の深刻化や行政サービスへの依存につながりやすい傾向にあります。やりきれない事件の発生が，地域の生活の崩壊を象徴し，問題提起をしています。

地域社会における人間関係が信頼関係に発展するためには時間がかかります。しかし，ソーシャルワークの専門性が地域社会づくりに積極的に発揮されれば，新たな時代にふさわしい社会関係を築くことは不可能ではありません。地域包括ケアシステムが新たな地域福祉を切り拓く装置として機能するかどうか，それはソーシャルワークの機能が組み込まれたシステムとして展開されるかどうかに深くかかわります。ソーシャルワークの専門性が試されるときが来ています。

地域福祉の実施主体とされながらも，その活動があまり知られていない社会福祉協議会の活動についても，今後，新たな発展が望まれます。全国社会福祉協議会の取組みの方向性は「全社協　福祉ビジョン2020～ともに生きる豊かな地域社会の実現をめざして」に示されています。地域共生社会の推進とSDGsを包含して地域共生社会の実現のために，社会福祉協議会，社会福祉法人，民生委員・児童委員が取り組む8項目[7)]を掲げました。これに沿った活動が地域包括ケアシステムとの連携のうえで発展することは地域共生社会の実現に大きな力となるはずです。

世界のどの国もが経験したことのない少子高齢社会において，地域福祉の新時代を切り拓くのは，自発的に互酬的活動に参加し創造する人間像の共有と，行政による責任ある基盤整備，そして地域社会におけるソーシャルワークの専門性の発揮であるといえるでしょう。

7）8項目　①重層的な連携・協働の場。②多様な実践の増進。③福祉人材の確保，育成と定着。④福祉サービスの質と効率性の向上。⑤福祉組織の基盤強化。⑥国・自治体とのパートナーシップ。⑦地域共生社会への理解を広げ参加を促進。⑧災害に備えた体制整備。

第10章　これからの社会福祉

Point

◆21世紀において社会福祉の変革を進めるための方向性や，そのために必要な社会福祉固有の専門性について学びましょう。
◆福祉文化は福祉教育ともあいまって社会福祉の発展だけではなく，福祉社会の創造に寄与します。社会福祉と文化の関係ならびに，「福祉文化」とは何かについて理解しましょう。
◆東日本大震災や新型コロナウイルス感染症（COVID-19）を乗り越え，より良い社会への希望を見出すために社会福祉の意義を理解し，学習のまとめとします。

1　持続可能な社会

(1)　20世紀社会福祉の到達点

20世紀後半に確立してきた日本の社会福祉は，国家がさまざまな法制度を整備することを通じて，生活上の困難を軽減し，健康で文化的な最低限度の生活を保障する方策として進められてきました。経済的支援やサービス提供が行き届かない課題への対応については，当事者やボランティアが必要性を訴えることを通じて，充実させてきました。

こうした取組みの積み重ねは，さまざまな課題もありますが，戦後の混乱期からの復興という目標のもと，社会福祉の各分野を発展させ，一定の成果を上げてきました。児童や障がい者，高齢者などの分野ごとの社会福祉の充実，個人や家族の「福祉」，すなわち誰もがより良く自分らしく生きられるという理想の実現に寄与したことは確かです。

しかし，21世紀の社会福祉の方向性を考えるには，多種多様で解決困難な課題を直視し，課題発生の要因についても世界的な関連性に着目しながら方策を立て直す戦略が必要とされています。

財政上の調整や法制度の改正，家族及び近隣の助け合いの精神に望みを託すことだけでは十分とはいえません。人口減少社会に，SDGs[1]の掲げる経済の最適化，環境への負荷の削減，社会的包摂という３つの要素を調和させていくために何をすべきかを見定め，社会福祉を含む社会保障全体を変革する時期に来ているといえるでしょう。

⑵　持続可能な社会と社会福祉を目指す

これからの社会福祉は，生活の場である地域社会において多様な人々が孤立することなく暮らせるような社会を目指し，総合的な施策として展開されることが望まれます。その際，国際社会，そして経済開発における調和を視野に入れることは不可欠です。

現在，日本はさまざまな問題に直面しています。長い老後に対する経済的不安，医療や介護への不安，減ることのない児童虐待，空き家問題，低い食料自給率，気候変動など，問題はいくつでも列挙されます。これらは一見無関係にみえますが，視点を変えると関連し合っていることに気づきます。

地場産業を活性化させ，高齢者や障がい者，子育て中の人々が働きやすい環境を整えることができれば，所得や健康，生きがいを保持することで孤立を回避し，社会福祉の需要を低下させるでしょう。多少なりとも食料自給率も高まるかもしれません。

また，トラム[2]の活用によって人の流れをつくれば，通勤や買い物，通

1）SDGs　p.4 SDGsの基本理念を参照

2）トラム　路面電車やLRT（Light Rail Transit）など路面に敷設された軌道を走行する乗り物。温室効果ガス削減に後押しされて欧米で急速に普及した。LRTは，路面電車よりも段差が少なく誰でも乗降しやすい，振動や騒音が少ない，再生エネルギーの活用など技術的に改良が加えられているなどの特徴がある。敷設ルートを街づくりに反映させることによって誰もが移動しやすくなり，都市の活性化につながることなどから日本でも注目されている。

院など多くの住民にとって利便性が高まるでしょう。誰もが活発に活動できるようになれば，健康寿命の延伸の道が拓かれるかもしれません。そうなれば地域経済の活性化と社会福祉の持続可能性の両立が視野に入り，地球規模の温室効果ガス削減や気候変動対策にも貢献できます。

人と人とのふれあいや，顔が見える距離で行うことに意義がある子育てや介護は，できるだけ小規模なエリア内で環境を整えて地域社会での支え合いをうながす試みも大切です。

一方で，ICTのインフラを整備して十分に活用すれば，遠隔地での就労や交流が可能になり，どこにいても誰でも自在に世界とつながりながら暮らせるようになるでしょう。こうした街づくりを進めることも重要な施策です。

社会福祉の個別的な制度を手直しするのではなく，経済や産業，雇用，住宅，文化やスポーツをも含む都市計画や街づくり，街の歴史や文化に根ざす特色ある景観の保持，そして防災など，すべての住民が安心して気持ちよく生活できる仕掛けを埋め込むような，総合的な発想で社会福祉の最適化を目指すことが必要ではないでしょうか。

社会福祉を含む社会保障は国家にとって見返りのない負の支出ではなく，富を生み出す源になる展開が求められているのです。

⑶　社会福祉固有の専門性の最大化

社会福祉が富を生み出すよう転換するための条件は，相談支援やコミュニティへの働きかけをも含むソーシャルワーク，すなわち社会福祉固有の専門性がしっかりと発揮されることです。

「ソーシャルワーク専門職のグローバル定義[3)]」では，ソーシャルワークが社会変革・社会開発・社会的結束の推進をうながし，ソーシャルワーカーは人々のエンパワメントと解放を目指すとされています。

ソーシャルワーカーが専門性を発揮して，個別具体の人間に向き合

3）ソーシャルワーク専門職のグローバル定義　第４章参照

い，寄り添い，エンパワメントできれば，問題が深刻化する前に社会の一員としての生き方を取り戻す支援が可能になり，社会福祉の需要を減らすことができます。

日本では社会福祉士だけが社会福祉の相談支援に携わるとは限らないため，ソーシャルワークの共通基盤に立った専門性が浸透する環境が十分とはいえません。しかし，今後は，障がい者や高齢者をはじめ社会的養護を必要とする子どもたちや外国人なども，地域社会で暮らすことがよりいっそう推進されていきます。そうした社会への移行過程において，社会福祉の専門性が発揮されることが異質なもの同士の価値を尊重し合う新たな社会的包摂を構築していくことを可能とするでしょう。

2　福祉が紡ぎ出す文化，文化が生み出す福祉

(1)　社会福祉実践における文化性

1980年代には，介護や保育など社会福祉サービスへの国民の需要が拡大し，関心も高まりました。利用者からも，社会福祉従事者からも，社会福祉施設が介護や支援の場である前に，その人にとっての生活の場であるべきだという考え方が，より強く主張されるようになりました。

実際に衣食住にかかわるサービスのあり方の見直しや，文化活動の拡充など，生活の質をより良くするための工夫が重ねられてきました。居室の一人当たりの面積の見直しや食堂の設置，個室化などの設備面の見直しが進められました。

衣食住には，その人固有の人生観や主張が表現されます。その表現を尊重することは固有の文化を媒介としたエンパワメントの実践であり，人間の尊厳を守る「福祉文化」というあり方への架け橋です。

(2)　文化芸術活動・スポーツと福祉文化

福祉文化とは生活文化の尊重だけではありません。美術，造形，音楽，舞踊，演劇などの文化芸術活動やスポーツにふれる機会，興味に合

わせた体験に参加できる機会の保障を行い，文化への接触や発信を可能にすることでもあります。

どのような活動に興味があるか，日中をどのように過ごすことを希望するか，何に喜びを感じるか，などを見つけ出し，支援することによって時間の質を高めることこそ社会福祉実践の意義です。介護は，介護それ自体が目的ではなく，一人ひとりが心を開放し，意味ある時間を過ごし自己実現していくために行われる支援が目的です。

支援する人たちの広がりも見逃せません。指一本でノクターンを演奏できるピアノの開発には，ピアニストによる楽譜の解読と，それを演奏につなげるピアノに精通したICT専門職，そしてピアノ職人の協働が不可欠です。足の不自由なアスリートが少しでも良い記録を出せるように工夫された靴は，スポーツ選手専門の靴の開発者の経験や技術から生まれます。ベッド上から遠隔操作でテニスを体験できるようなロボットは，いうまでもなくロボット技術の専門家でなければ開発できません。

文化活動を通じて，希望する誰もが文化芸術やスポーツをするのが当然だという理解が，社会に広く浸透してきています。

(3)　地域の文化から生まれ，地域の文化を生み出す福祉

近年，バリアフリーの建物で使いやすいトイレや浴室などが完備された高齢者デイサービスセンターが増え，高齢者向けに用意されたレクリエーションや文化活動が行われています。

一方で，古民家や廃校になった学校を用いたデイサービスという方法もあります。完全なバリアフリーへのリフォームには限界がありますから，人間の手が必要です。ふれ合いながらゆっくりと段差を越えて移動します。一見，不便ですし，危険でもあります。

ところが，高齢者は見慣れた光景やしつらえの雰囲気に心を浸して，時間の流れにゆったりと身をゆだね，落ち着いた気持ちで過ごすことができます。特別なレクリエーションを工夫しなくても，農具や学校の備品を見たり，ふれたり，使ったりして自然に心身を活性化しています。

バリアを取り除く努力と，バリアのある地域社会のなかで共生する努力とを，常にバランスよく保つことが大切なのです。そうすれば，地域の文化のなかで暮らし続けることができます。慣れ親しんだ風景や色彩，生活用具，年中行事，遊び方など，誰もがいつでも過去と現在の出会いの時間に身をおき，時間と空間の交わる心の居場所を得られます。また次の世代へ受け継いでいくこともできます。

痛みを取り除く努力をしながら，一方で，痛みを共有できる他者の存在が，結局のところ，私たちに豊かな時間を与えてくれることを忘れてはならないのです。

私たちは，場と時間を共有して，知らず知らずに他者からのメッセージを心へのおくりものとして受け取り，みずからも，同じように心のおくりものを誰かに渡しながら生きています。人間関係のなかでみずからが生かされている意味を知り，深い喜びを感じられるような，心豊かな生き方を探求することが，福祉が紡ぐ文化と，文化が生み出す福祉を結びつけます。

福祉文化は社会福祉実践のなかでだけではなく，地域社会を新たな方向へと導きだす力をもっています。その価値を次の時代に受け継ぎ，開花させるため，福祉教育はきわめて重要です。「私らしさ」を大切にすることで他者の「その人らしさ」を愛する心を育てる教育は，大人に託された大事な責務といえるでしょう。

3 21世紀・新たな社会を目指して

(1) 東日本大震災に学ぶ

2011（平成23）年３月11日に発生した東北地方太平洋沖地震（東日本大震災）は，死者・行方不明者が２万人を超える未曾有（みぞう）の大災害でした。地震と津波，その後に続く東京電力福島第一原子力発電所の事故は，東北地方の人だけでなく，日本人全体の生活に大きな影響を与えました。

家族や親戚，大事な友を失い，家や思い出の品々を失い，ふるさとを一瞬にして失った人々の喪失感は想像を絶するものがあります。厳しい環境におかれながらも，前を向いて歩む人々の姿や声が報道されるたびに，どれほど多くの涙が流されているか，見通しの立たない闘いを余儀なくされる人々の苦悩がどれほど深いか，感ぜずにはいられませんでした。

底知れぬ不安，言葉に尽くせない悲しみと深く突き刺さる痛みのなかから立ち上がる命に，生きる力を与えたのは鎮魂に根ざす共生の実践ではなかったでしょうか。

泥にまみれた写真の汚れを丁寧に洗い清めてデータ化し，思い出の一枚を蘇らせて持ち主に返却するボランティア活動をしたのは，顔も名前も知らず，言葉も通じない海外の写真家たちでした。震災から何年も経た後，アメリカ大陸西海岸に漂着した被災者のサッカーボールを拾い上げた人は，持ち主である日本の少年へと送り届けました。永遠に失われてしまった多数の命がある一方で，ただ一枚の写真やただ一つのボールに託された絆は，今を生きる人々に対してだけでなく，失われた命にも確実に意味を与えたのです。

この震災は，誰もが生きるということに対し真摯に向き合い，「痛み」を感受し他者の心に響き合う力を芽生えさせることに気づかせてくれました。

その後も世界中で度重なる災害の苦難に立ち向かう態度や行動は，子どもたちへと受け継がれ，国際的な相互支援の広がりとして新しい時代を築く力を生み出しています。日本の大災害は，世界に新たな気づきをもたらしたということができるでしょう。

(2)　分断を越えて

新型コロナウイルス感染症（COVID-19）のパンデミックを抜きに21世紀の世界を語ることはできないでしょう。

大災害に対しては人間同士が手を取り合い，心を寄せ合い困難に立ち向かう尊さを得て克服してきました。ところが，この感染症により，人々は他者との距離を保つことや非接触を余儀なくされました。命を守るために，手のぬくもりを感じ合うことが否定されるのです。私たちは人間同士の「分断」に直面しているといっても過言ではありません。

世界中が生命を脅かされる事態と闘いつつも，立ち尽くすことしかできない人々が大勢います。家族や友人などの人間関係にも変化が起きているかもしれません。あと少しのところで根こそぎ何かを失った人もいるかもしれません。排除されやすい立場の人々ばかりでなく，一見，強く有利な立場の人々も孤独や絶望にさいなまれているかもしれません。

それでもなお，失望や絶望を直視し，何かのきっかけで，幸せを掴めることに希望を託してみましょう。そのきっかけは，諦めずに求める心に舞い降りるということを，何世紀にもわたって文学者や芸術家はみずからの作品に託して世に送り出してきました。

社会福祉もまた，悲しみや苦しみを克服しようとするなかから生まれ，より強くより良い社会をつくりだしてきました。

元通りの生活を取り戻すことを超えて「Build Back Better[4)]」，創造的復興を目指し，祈りとともに立ち上がることはできるのではないでしょうか。

私たちはパンデミックをはじめ予測不能な困難がもたらす苦悩からの出口を求めているのか，それとも出口の先にある，新しい時代の入り口に向かっているのか。いずれにしても，一筋の希望の光を見失うことなく，この過渡期を泳ぎ切って，21世紀を平和と協調の時代にしていかなくてはなりません。そこに，社会福祉の新たな方向性を築く努力が求められています。

4）Build Back Better　阪神・淡路大震災に際して「以前と同じ世界を取り戻す」という意味の復興ではなく，「Build Back Better Than Before」（創造的復興）の考え方が提唱されたといわれている。

参考文献

【第１章】
・阿部志郎『福祉の哲学』誠信書房，1997年
・一番ヶ瀬康子編著『社会福祉とは何か』ミネルヴァ書房，1983年
・一番ヶ瀬康子編著『新・社会福祉とは何か』ミネルヴァ書房，1990年
・一番ヶ瀬康子『21世紀 社会福祉学』有斐閣，1995年
・一番ヶ瀬康子『福祉のこころ』旬報社，2002年
・岩崎晋也『福祉原理——社会はなぜ他者を援助する仕組みを作ってきたのか』有斐閣，2018年
・岩田正美『社会的排除——参加の欠如・不確かな帰属』有斐閣，2008年
・岩田正美／北野誠一／武川正吾／平岡公一／藤村正之編『講座 福祉社会 第１～12巻』ミネルヴァ書房，2003年
・岩田正美／武川正吾／永岡正己／平岡公一『社会福祉の原理と思想』有斐閣，2003年
・岡村重夫『社会福祉原論』全国社会福祉協議会，1983年
・『月刊福祉』編集部編『「月刊福祉」増刊号 現代の社会福祉 100の論点』全国社会福祉協議会，2010年
・『月刊福祉』編集部編『「月刊福祉」増刊号 現代の社会福祉 100の論点 vol.2』全国社会福祉協議会，2012年
・嶋田啓一郎監『社会福祉の思想と人間観』ミネルヴァ書房，1999年
・園田恭一／西村昌記編著『ソーシャル・インクルージョンの社会福祉』ミネルヴァ書房，2008年
・日本社会福祉学会編『社会福祉学研究の50年』日本社会福祉学会，2004年
・B.ニィリエ，河東田博他訳編『新訂版　ノーマライゼーションの原理——普遍化と社会変革を求めて』現代書館，2004年
・広井良典『創造的福祉社会——「成長」後の社会構想と人間・地域・価値』筑摩書房，2011年
・広井良典『人口減少社会のデザイン』東洋経済新報社，2019年
・古川孝順『社会福祉学の原理と政策——自律生活と生活協同体の自己実現』有斐閣，2021年

【第２章】
・池田敬正『日本社会福祉史』法律文化社，1986年
・一番ヶ瀬康子／吉田久一編『昭和社会事業史への証言』ドメス出版，1982年
・右田紀久恵／高沢武司／古川孝順編『社会福祉の歴史（新版）』有斐閣，2001年
・金子光一『社会福祉のあゆみ——社会福祉思想の軌跡』有斐閣，2005年
・菊池正治／室田保夫他編『日本社会福祉の歴史・付史料』ミネルヴァ書房，2003年
・社会保障制度審議会事務局編『社会保障の展開と将来——社会保障制度審議会五十年の歴史』法研，2000年
・田中拓道『福祉政治史』勁草書房，2017年
・長谷川貴彦『イギリス福祉国家の歴史的源流——近世・近代転換期の中間団体』

東京大学出版会，2014年
・平岡公一『イギリスの社会福祉と政策研究：イギリスモデルの持続と変化』ミネルヴァ書房，2003年
・古川孝順／金子光一編『社会福祉発達史キーワード』有斐閣，2009年
・R.H.ブレムナー，西尾祐吾／得津慎子／栗栖照雄／牧田満知子訳『社会福祉の歴史』相川書房，2003年
・細井勇『石井十次と岡山孤児院』ミネルヴァ書房，2009年
・室田保夫『人物でよむ近代日本社会福祉のあゆみ』ミネルヴァ書房，2006年
・室田保夫編著『人物でよむ西洋社会福祉のあゆみ』ミネルヴァ書房，2013年
・吉田久一『吉田久一著作集』第1巻～第7巻 川島書店，1989～1993年

【第3章】
・宇山勝儀／船水浩行編著『社会福祉行政論』ミネルヴァ書房，2010年
・桑原洋子『社会福祉法制要説』有斐閣，2006年
・「ケアマネジャー」編集部編，福島敏之『現場で役立つ社会保障制度活用ガイド2021年版』中央法規出版，2021年
・国立社会保障・人口問題研究所『社会保障財源の効果分析』東京大学出版会，2009年
・社会保障入門編集委員会編『社会保障入門 2021』中央法規出版，2021年
・炭谷茂『社会福祉基礎構造改革の視座――改革推進者たちの記録』ぎょうせい，2003年
・野崎和義『ソーシャルワーカーのための成年後見入門――制度の仕組みが基礎からわかる』ミネルヴァ書房，2019年
・堀勝洋『社会保障・社会福祉の原理・法・政策』ミネルヴァ書房，2009年
・椋野美智子／田中耕太郎『はじめての社会保障 福祉を学ぶ人へ（第7版）』有斐閣，2009年

【第4章】
・稲沢公一『援助関係論入門――「人と人との」関係性』有斐閣，2017年
・岩間伸之『対人援助のための面接技術』中央法規出版，2008年
・北川清一／松岡敦子／村田典子『演習形式によるクリティカル・ソーシャルワークの学び――内省的思考と脱構築分析の方法』中央法規出版，2007年
・空閑浩人編著『ソーシャルワーク入門』ミネルヴァ書房，2009年
・久保紘章／副田あけみ編著『ソーシャルワークの実践モデル――心理社会的アプローチからナラティブまで』川島書店，2005年
・窪田暁子『福祉援助の臨床――共感する他者として』誠信書房，2013年
・佐藤豊道『ジェネラリスト・ソーシャルワーク研究――人間：環境：時間：空間の交互作用』川島書店，2001年
・社会福祉士会『ソーシャルワーク実践事例集』中央法規出版，2009年
・C. B. ジャーメイン／A.ギッターマン，田中禮子／小寺全世／橋本由紀子監訳『ソーシャルワーク実践と生活モデル（上）（下）』ふくろう出版，2008年
・F.ターナー編，米本秀仁監訳『ソーシャルワーク・トリートメント（上）（下）』中央法規出版，1999年

・田中耕太郎編著『ソーシャルワークと権利擁護』ふくろう出版，2008年
・仲村優一『ケースワーク 第2版』誠信書房，1980年
・平山尚『ソーシャルワーク実践の評価方法』中央法規出版，2002年
・三島亜紀子『社会福祉学は「社会」をどう捉えてきたのか――ソーシャルワークのグローバル定義における専門職像』勁草書房，2017年
・吉田悦規『事例から学ぶ　支援を深める相談技術――現場実践から導き出された17のメソッド』中央法規出版，2020年

【第5章】

・浅井春夫／湯澤直美／松本伊智郎編『子どもの貧困――子ども時代のしあわせ平等のために』明石書店，2008年
・阿部彩『子どもの貧困』岩波書店，2003年
・岩田正美『現代の貧困――ワーキングプア／ホームレス／生活保護』筑摩書房，2007年
・岩田正美『貧困の戦後史』筑摩書房，2017年
・岩田正美『生活保護解体論――セーフティネットを編みなおす』岩波書店，2021年
・大友信勝『公的扶助の展開』旬報社，2000年
・岡部卓／森川美絵／新保美香／根本久仁子『生活保護の相談援助活動 自己点検ワークブック』中央法規出版，2009年
・金子充『入門貧困論』明石書店，2017年
・子どもの貧困白書編集委員会編『子どもの貧困白書』明石書店，2009年
・さいきまこ『陽のあたる家――生活保護に支えられて』秋田書店，2013年
・杉村宏編著『格差・貧困と生活保護』明石書店，2007年
・中川健太郎『救護施設との出会い』クリエイツかもがわ，2003年
・道中隆『生活保護と日本型ワーキングプア』ミネルヴァ書房，2009年
・道中隆編著『公的扶助ケースワーク実践Ⅰ 生活保護の面接必携』ミネルヴァ書房，2012年
・宮本みち子／小杉礼子編著『二極化する若者と自立支援――「若者問題」への接近』明石書店，2011年
・森川清『権利としての生活保護法』あけび書房，2009年

【第6章】

・相澤仁編集代表『家庭養護のしくみと権利擁護』明石書店，2021年
・伊東波津美『70人の子どもの母になって お寺ではじめた里親生活』法蔵館，2009年
・柏女霊峰『子ども家庭福祉論』誠信書房，2009年
・柏女霊峰『子ども家庭福祉サービスの供給体制』中央法規出版，2008年
・倉石哲也監『社会的養護』ミネルヴァ書房，2018年
・「子どもが語る施設の暮らし」編集委員会編『子どもが語る施設の暮らし』明石書店，1999年
・児童相談所業務研究会編著『児童相談所――汗と涙の奮闘記』都政新報社，2001年
・全国保育協議会『保育年報』全国社会福祉協議会，毎年刊

・全国保育団体連合会保育研究所編『保育白書』毎年刊
・永井憲一／寺脇隆夫／喜多明人／荒牧重人編『新解説 子どもの権利条約』日本評論社，2000年
・野辺明子／加部一彦／横尾京子／藤井和子編『障害をもつ子が育つということ』中央法規出版，2008年
・長谷川眞人編著『子どもたちのもう一つの家 児童養護施設における自立支援の検証』三学出版，2007年
・長谷川眞人／堀場純矢編著『児童養護施設と子どもの生活問題』三学出版，2005年
・松村祥子／野中賢治編著『学童保育指導員の国際比較――放課後児童クラブの発展をめざして』中央法規出版，2014年

【第7章】
・上田敏『リハビリテーションの歩み――その源流とこれから』医学書院，2013年
・小山内美智子『あなたは私の手になれますか――心地よいケアを受けるために』中央法規出版，1997年
・加藤真規子『精神障害のある人々の自立生活』現代書館，2009年
・河東田博『ノーマライゼーション原理とは何か――人権と共生の原理の探究』現代書館，2009年
・G. ヴィンルンド／S. R. ベンハーゲン，岩崎隆彦／二文字理明訳『知的障害のある人の理解と支援とは――見て！ 聞いて！ 分かって！ スウェーデン発人間理解の全体的視点』明石書店，2009年
・小板孫次『育ちつづける人達――障害の現実と普通の生活のはざまで』中央法規出版，2009年
・GOMA『失った記憶 ひかりはじめた僕の世界――高次脳機能障害と生きるディジュリドゥ奏者の軌跡』中央法規出版，2016年
・田島明子『障害受容からの自由――あなたのあるがままに』CBR，2015年
・特定非営利活動法人DPI日本会議2002年第6回DPI世界会議札幌大会組織委員会編『世界の障害者――われら自身の声』現代書館，2003年
・生瀬克己『日本の障害者の歴史』明石書店，1999年
・J. ラーション／A. M. ステンハルマル／A. ベリストローム，河東田博／杉田穏子／ハンソン友子訳編『スウェーデンにおける施設解体――地域で自分らしく生きる』現代書館，2000年

【第8章】
・浅野ゼミナール福祉研究会編『福祉実践の未来を拓く』中央法規出版，2008年
・永和良之助／坂本勉／福冨昌城『高齢者福祉論』ミネルヴァ書房，2009年
・太田貞司編著『高齢者福祉論 新版』光生館，2007年
・小松啓／春名苗編著『高齢者と家族の支援と社会福祉』ミネルヴァ書房，2008年
・杉山孝博『介護職・家族のためのターミナルケア入門』雲母書房，2009年
・直井道子／中野いく子／和気純子編『高齢者福祉の世界』有斐閣，2008年
・二木立『地域包括ケアと福祉改革』勁草書房，2017年
・日本ソーシャルワーク教育学校連盟編『最新社会福祉士養成講座・精神保健福祉

士養成講座⑥ 地域福祉と包括的支援体制』中央法規出版，2021年
・橋本正明／稲垣美加子／至誠ホーム出版会編『至誠ホームにおける事例研究・実践報告』筒井書房，2006年
・久塚純一／石塚優／原清一編『高齢者福祉を問う』早稲田大学出版部，2009年
・広井良典『ケアを問いなおす――「深層の時間」と高齢化社会』筑摩書房，1997年
・松岡洋子『デンマークの高齢者福祉と地域居住』新評論，2005年
・宮城孝編著『地域福祉と包括的支援システム――基本的な視座と先進的取り組み』明石書店，2021年

【第９章】

・雨宮孝子／小谷直道／和田敏明編著『福祉キーワードシリーズ ボランティア・NPO』中央法規出版，2002年
・井岡勉監『住民主体の地域福祉論 理論と実践』法律文化社，2008年
・市川一宏／牧里毎治編著『地域福祉論』ミネルヴァ書房，2002年
・岡村重夫『地域福祉論』光生館，2009年
・岡本栄一／菅井直也／妻鹿ふみ子編『学生のためのボランティア論』大阪ボランティア協会，2006年
・川口清史『ヨーロッパの福祉ミックスと非営利・協働組織』大月書店，1999年
・近畿労働金庫監，山岡義典／早瀬昇／石川両一編『NPO非営利セクターの時代――多様な協働の可能性をさぐる』ミネルヴァ書房，2001年
・小賀久『障がいのある人の地域福祉政策と自立支援』法律文化社，2009年
・桜井政成『ボランティアマネジメント――自発的行為の組織化戦略』ミネルヴァ書房，2007年
・白川泰之『空き家と生活支援でつくる「地域善隣事業」――住まいと連動した地域包括ケア』中央法規出版，2014年
・永田幹夫『改訂二版 地域福祉論』全国社会福祉協議会，2000年
・田中英樹／神山裕美編著『社協・行政協働型コミュニティソーシャルワーク――個別支援を通じた住民主体の地域づくり』中央法規出版，2019年
・野口定久『地域福祉論』ミネルヴァ書房，2008年
・早瀬孝『市民社会の創造とボランティアコーディネーション』筒井書房，2009年
・広井良典『コミュニティを問いなおす――つながり・都市・日本社会の未来』筑摩書房，2009年
・牧里毎治ほか編著『自治体の地域福祉戦略』学陽書房，2007年
・宮城孝／菱沼幹男/大橋謙策編 日本地域福祉研究所監『コミュニティソーシャルワークの新たな展開――理論と先進事例』中央法規出版，2019年
・山崎亮『コミュニティデザインの時代――自分たちで「まち」をつくる』中央公論新社，2012年

【第10章】

・阿部志郎／前川喜平編著『ヒューマンサービスの構築に向けて』中央法規出版，2010年
・一番ヶ瀬康子『福祉文化のアプローチ』ドメス出版，1997年
・一番ヶ瀬康子ほか編『福祉文化論』有斐閣，1997年

・岩崎航『点滴ポール――生き抜くという旗印』ナナロク社，2013年
・岩田正美／遠藤公嗣／大沢真理／武川正吾／野村正實監『ケアをデザインする――準市場時代の自治体・サービス主体・家族』ミネルヴァ書房，2021年
・NHK取材班『あれからの日々を数えて――東日本大震災・一年の記録』大月書店，2012年
・角谷快彦『介護市場の経済学――ヒューマン・サービス市場とは何か』名古屋大学出版会，2016年
・河北新報社編集局『再び，立ち上がる！――河北新報社，東日本大震災の記録』筑摩書房，2012年
・小倉昌男『福祉を変える経営』日経BP社，2003年
・筧裕介『持続可能な地域のつくり方――未来を育む「人と経済の生態系」のデザイン』英知出版，2019年
・児玉谷史朗／佐藤章／嶋田晴行編著『地域研究へのアプローチ――グローバルサウスから読み解く世界情勢』ミネルヴァ書房，2021年
・A. クライマン／江口重幸／皆藤章，皆藤章編・監訳『ケアをすることの意味――病む人とともに在ることの心理学と医療人類学』誠信書房，2015年
・後藤和子『文化と都市の公共政策――創造的産業と新しい都市政策の構想』有斐閣，2005年
・社会福祉法人あすはの会編『施設における文化活動の展開――福生学園・福生第二学園の実践』文化書房博文社，2009年
・塚本一郎／柳澤敏勝／山岸秀雄編著『イギリス非営利セクターの挑戦』ミネルヴァ書房，2007年
・辻哲夫監，田城孝雄／内田要編『まちづくりとしての地域包括ケアシステム』東京大学出版会，2017年
・中島隆信『障害者の経済学』東洋経済新報社，2006年
・広井良典『創造的福祉社会――「成長」後の社会構想と人間・地域・価値』筑摩書房，2011年
・日本福祉のまちづくり学会編『福祉のまちづくりの検証――その現状と明日への提案』彰国社，2013年
・丸尾直美／C. レグランド／レグランド塚口淑子編『福祉政策と労働市場』ノルディック出版，2008年
・M. デロイト編『SDGsが問いかける経営の未来』日本経済新聞出版，2018年
・山崎亮『コミュニティデザインの時代――自分たちで「まち」をつくる』中央公論新社，2012年

索　引

欧文

あ

か

さ

た

な

は

ま

や

著者プロフィール

大久保秀子（おおくぼ・ひでこ）

浦和大学教授　博士（学術・福祉）

1979年　青山学院大学文学部史学科卒業

1983年　日本女子大学大学院文学研究科博士課程前期社会福祉専攻修了

1997年　浦和短期大学（現，浦和大学）専任講師

2003年　浦和大学教授

2005年　長崎純心大学大学院人間文化研究科博士課程後期人間文化専攻修了

主著等　『「浅草寺社会事業」の歴史的展開 地域社会との関連で』（ドメス出版，2008年），第３回日本仏教社会福祉学会奨励賞（2009年）

『社会福祉とは何か』（一橋出版，1997年）

『世界の社会福祉 日本』共著（旬報社，2000年）

『これからの福祉を考えよう——ノーマライゼーションってなんだろう』（文渓堂，2002年）

『社会福祉基礎』（文部科学省「福祉」検定教科書）共著（一橋出版，2002年）

『地域福祉と福祉NPOの日中比較研究』共著（日本僑報社，2006年）

『ボランティア活動の基礎と実際』共著（文化書房博文社，2006年）

『新 社会福祉とは何か』（一橋出版，2007年）

『社会福祉施設の展望』共著（文化書房博文社，2011年）

「家族支援の新たな展開に向けて」，カナダの家族支援に学ぶ2012，浦和大学国際セミナー資料『Listening to Families——家族の多様性へのアプローチ』所収（浦和大学，2012年）

『家族援助の実証的研究』共著（文化書房博文社，2017年）

『こども理解と観察——親子観察を通して創造的実践力を育てる授業の試み』監修・編著（ななみ書房，2018年）

新・社会福祉とは何か　第4版

2010年4月5日　初　版　発　行
2014年2月25日　第　2　版　発　行
2018年4月5日　第　3　版　発　行
2022年2月20日　第　4　版　発　行
2023年12月10日　第4版第3刷発行

著　者　**大久保　秀子**

発行者　**荘村　明彦**

発行所　**中央法規出版株式会社**

〒110-0016　東京都台東区台東3-29-1　中央法規ビル
TEL 03-6387-3196
https://www.chuohoki.co.jp/

装　　　丁　株式会社ジャパンマテリアル
印刷・製本　サンメッセ株式会社

ISBN978-4-8058-8429-4
定価はカバーに表示してあります。